新潮文庫

悲嘆の門

中巻

宮部みゆき著

新潮社版

10819

目次

悲嘆の門

中巻

第三章

〈髑髏〉
しゃれかうべ

ひとりで千

I

真菜《まな》の描いたあの絵が、そこにあった。

こっちは絵じゃない。現実だ。二次元じゃない。三次元の立体だ。

それは舞い降りてくる。

振り返ったときには、その足先が孝太郎《こうたろう》の頭よりも高いところにあった。広げた翼が、見上げる孝太郎の視界を覆《おお》っていた。差し渡し四メートルか、もっとあるか。

でかい。長身だ。身長二メートル、いや、こちらももっと高いか。

北風とは違う風が吹き下ろしてくる。その風がまともに孝太郎の顔にあたる。翼が生み出す風だ。一対の翼をはためかせ、その浮力でホバリングしながら、それは下降してくる。スローモーション。ことさらに時間をかけて。

その双眸《そうぼう》は孝太郎を見つめている。孝太郎は囚《とら》われたように動けない。

次に去来した感慨は、この場にはもっともふさわしくないものだった。

美しい。

舞い降りてくる翼あるものは、明らかに女性の姿をしていた。

真菜の描写は正しかった。あの子は目がいい。翼ある女の髪は長かった。その長身の腰まで届くほどの黒髪だ。風になびいている。

背中の翼も黒い。烏《からす》の羽根だ。黒曜石のように底光りしている。

それとは対照的に、女の肌は白い。まさに抜けるような白さだ。ただ、剝《む》き出しになった両腕と右肩には、凝った文様が這《は》っていた。刺青《いれずみ》か。唐草模様のように入り組んだ曲線が、びっしりと白い肌を覆っている。

最初に浮かんできたのは、〈戦士〉という表現だった。女はそういう出《い》で立ちをしていた。ファンタジー映画やゲームに登場する女性戦士。革のベスト、革のパンツ、膝頭《ひざがしら》まで届く頑丈なブーツ。肩から斜めにかけた幅広のストラップ。金具の光るごついベルト。

すべて黒一色だ。装飾らしきものはない。使い込まれた革のあちこちに寄ったかすかな皺《しわ》だけが彩《いろど》りになっている。

人間は、あんまり驚くと笑う。孝太郎も笑っていた。口を開き、両目も開きっぱなしにして、ただし声もなく笑っていた。

女の顔に表情はない。まばたきもしない。黒い瞳《ひとみ》が孝太郎を離さない。孝太郎も吸い込まれるようにその瞳を見つめ返す。

言葉が出てこない。動けない。呼吸さえ止まっている。

女の両脚が屋上についた。翼がもう一度だけ羽ばたいて、動きを止めた。着地のとき、両膝を軽く曲げた。その動作が、それが生きものであることを裏付けていた。

女の右腕が素早く動いた。肩口にあがった手が何かをつかんだ。孝太郎は空《くう》を切る音を聞いた。次の瞬間、横様になぎ倒されていた。塔を模した屋上の縁《へり》を囲む低い壁まで吹っ飛ばされ、したたか肩をぶつけた。

固い金属音が響き、火花が散った。

二秒ぐらい気絶していたのかもしれない。我に返ると、孝太郎は頭から両肩までを縁の壁にもたせかけ、手足を投げ出してその場に伸びていた。不自然な姿勢で、首筋が痛い。でも身動きならなかった。

首の右側の壁に、鋭い刃《やいば》が食い込んでいた。孝太郎の腕よりも長い三日月型の刃。頑丈そうな柄《え》がついている。刃と柄の繋《つな》ぎの部分に、革紐《かわひも》が固く巻きつけてあった。

——大鎌《おおがま》だ。

都築《つづき》の話のなかに出てきた。サイズ。死神の得物《えもの》。女は右腕一本でそれを操り、孝太郎をその場に釘付《くぎづ》けにした。

都築は上げ蓋《ぶた》から顔を出していた。そのまま凍りついている。驚きのせいばかりではない。彼も釘付けになっている。女はおっさんの顔の正面に指を突きつけていた。正確には、両手に嵌《は》めた黒革の手甲《てっこう》から五本の指に添って飛び出した錐《きり》のようなものを突きつけていた。

どこかからほのかに光がさしている。大鎌の刃と手甲の錐の先端が、その光を反射している。

孝太郎の顔を凝視したまま、女は軽く首をかしげた。舐《な》めるような視線を感じた。異形《いぎょう》の存在だ。怪物だ。なのに女だ。目を瞠《みは》るほど美しい。そして大柄だ。神話に登場する巨人族の女戦士は、きっとこんな姿なのだろう。

女の色のないくちびるが動き、声を発した。「――何者だ」

それは、こっちこそ問いかけたいことだ。

孝太郎は声が出ない。口を動かすこともできない。目を瞠ったままなので涙が出てくる。身動きできないのに身体《からだ》が震える。もう笑ってはいなかった。寒さと恐怖で、骨から震えている。

女と目が合う。その瞳。何かがおかしい。わからないけど、違和感がある。首をかしげたまま、女がもう一度問いかけてきた。「おまえたちは何者だ」

日本語だ。こいつはオレたちの言葉を解する。オレたちの言葉を操っている。

声音に不思議な響きがあった。女の問いかけのあとに、音叉《おんさ》の発するような共鳴が残る。その共鳴が、耳ではなく身体の芯《しん》にまで伝わってくる。ちょうど心臓の真ん中に。そしてそこに留まり、孝太郎の身体中に新たな共鳴を呼び起こし、同心円状に広がってゆく。

内視《スキャン》されてる。

出し抜けにそう解《わか》った。説明抜きで感じとれた。探られている。

「――子供だ」

都築の声だった。梯子《はしご》につかまり、屋上には頭を出しただけの姿勢で、その顔は蒼《そう》白《はく》だ。声も裏返っている。

「そいつはまだ子供だ。手荒なことをしないでやってくれ」

女の問いに答えているのだった。

姿勢はそのままに、女は首だけをよじって都築を見おろした。

「――上がってこい」

瞬間、都築が震えあがったのがわかった。

「おまえの両手を見せろ」

孝太郎にはわからなかったが、都築は女の意図を解したらしい。

「わかった。武器は持っていない」

金属製の梯子に、都築の靴の裏が滑ってきゅっと音をたてるのが聞こえた。おっさんは足が痺《しび》れてるんだ。こんなときに思い出す。ちゃんと上がってこられるかな。

都築は梯子をのぼりきった。上げ蓋の脇《わき》に両膝をつき、苦しそうに肩で息をした。その恰好《かっこう》で両手をあげ、掌《てのひら》を見せてから、頭の後ろで組んでみせた。女の黒い手甲の錐は、そのあいだも微動だにせず都築に狙《ねら》いを定めていた。

「こっちも質問していいか」

まだ息を切らし、蒼白のまま、都築が声を絞り出す。

「あんたは何者だ」

返事はない。都築と、女と、孝太郎。誰も動かない。何の役にも立たなかったバールは、あさっての場所に転がっていた。

漆黒の翼が、音もなくたたまれた。女の背中に収まる。それと同時に、女は都築を狙っていた右手をおろした。手甲の錐が引っ込んで消えた。

孝太郎の方はそのままだ。もう充分に凍えているのに、大鎌の刃が迫っている首の右側は、さらに冷たく感じられる。

都築に向かって、女は言った。

「すまない」

ほかのどんな言葉よりも意外な言葉だ。

謝罪した——のか。

「私はこの〈領域《リージョン》〉の者ではない。目的を果たせば、すぐに立ち去る」

そしてもう一度、すまないと言った。

女が話すたびに、不思議な共鳴が残る。だが、もう内視されている感じはしなかった。

女の声を、低いとか高いとか、やわらかいとか野太いとか、孝太郎たちの感性で表現することが難しかった。女性の声に聞こえるが、無機物の、金属質の響きもあった。風の音のような自然現象の響きもあった。

「リージョンってのは何だ」

都築の顔は強張《こわば》ったままだ。声は少し落ち着きを取り戻してきた。

「世界のことだ」

「この世界？」

首が折れそうな恰好のまま、何とか孝太郎も声を出し、二人のやりとりに割り込んだ。

「オレたちが住んでるこの世界？」

女の顔がこちらに向き直った。孝太郎は息を呑《の》む。やっぱり美しい。美人という形容では表しきれない。日常とはかけ離れた、自然の造形物としての美。たとえば銀河の彼方《かなた》の星雲の輝きのような。

ほんの少し肩を揺らしたかと思うと、女は大鎌の刃を引き抜いた。事も無げに長い柄をくるりと回し、その旋回で起きた風が消える前に、柄を背中に担《かつ》いで収めた。腰のベルトにつけたのか。三日月型の白刃が、女の頭上で冷たく光る。

そして一歩、こちらに歩み寄った。大股《おおまた》の一歩で、距離が詰まった。女の装備のどこかで金具が鳴った。女は孝太郎の方に身をかがめた。そのとき、あとで思い出すたびに情けなくて恥ずかしくて穴を掘って埋もれてしまいたくなったものだが、孝太郎は危うく漏らしそうになった。

手甲を嵌めた手を、女は孝太郎に差し伸べてきた。無論、錐は飛び出していない。握手を求めるように、女は手を差し出したままじっとしている。孝太郎は伸びたままその顔を見上げている。

そして気づいた。女の瞳に感じた違和感の正体を。

左の瞳だ。瞳孔《どうこう》がふたつある。〈集合〉の概念を習う小学校の教科書で見た挿絵みたいに、横にふたつ並んで、端の部分が少しだけ重なっている。

「立てるか」

大きな手だ。孝太郎の倍はある。錐が仕込まれている手甲は分厚い。

でも指は白く細長く、爪《つめ》の形も整っていた。女の手であり、女の指だ。

歯の根も合わないほど震えながら、女の顔から目を離さず、息を止めて、孝太郎は右手を持ち上げ、女の手に摑《つか》まった。

ただ引き起こされただけではなかった。女は孝太郎を持ち上げ、軽々と放るようにして都築の横に移した。放り出された孝太郎を都築が受け止めてくれたのはいいが、一緒になって転んでしまった。

「おっと」

女が短く声を出した。その反応は極めて人間的だった。笑ってしまうくらい自然に人間的だった。翼があり、身の丈は二メートル以上、怪力で、武装した女。だが人間らしい。

不要不急の疑問が、孝太郎の頭をよぎった。こいつは笑うんだろうか。

女の表情は変わらなかった。作り物の仮面のようにも見える。そのまま、またあの不思議に共鳴する声で言った。

「そうか――おまえたちは〈輪《サークル》〉を知らないのだな」

助け合って起き上がり、そのまま互いにしがみついていた孝太郎と都築は、顔を見合わせてから、女の長身を仰いだ。

「サークル？　今度は何だ。あんたの言うことはさっぱりわからん」

言葉は通じるのに――と、都築が腹立たしそうに吐き捨てる。

「わからないままでいい」

女は言って、首をめぐらせ、お茶筒ビルを取り囲む町並みを見遣《みや》った。

「騒がせてすまなかった。私はここを離れる。そろそろ、ほかの場所に足場をつくろうと思っていたところだ」

また謝った。謝罪するときの声の共鳴は、ほかの言葉のときとちょっと違う。滑らかで、さらに心地よい。

そう、女の声が生み出す共鳴は、不快ではない。むしろ快い。木漏れ日の温《ぬく》もりや、夏の夕暮れの涼風を音に変換し、それを心に響かせたらこんなふうだろう。

「何をするための足場だ」

都築は問いかける。厳しく、油断のない顔と口調だ。孝太郎はハッとした。おっさんは、この共鳴を感じないんだろうか。

「最近、このあたりで老人が行方不明になっている。姿を消して、居所がわからないという意味だ。あんた、心当たりがあるか」

相手が武器を引っ込めたからって、いきなりズケズケ訊《き》くかよ。

「もう一人、若い男も消えている。この子ぐらいの歳《とし》の若者だ」

都築は孝太郎の肩口をつかんだ。視線は女をとらえている。ひるんでいない。容疑者に食いつく刑事の目だ。

「あんた、ここで何をしている。さっき〈目的〉と言ったな。どんな目的があってここにいるんだ？」

女は二人を見おろしたまま、軽く頭を動かした。顔にかかる髪をはらったのだ。手入れが面倒だ、枝毛ができるとボヤくくせに、一美《かずみ》も美香《みか》も髪を伸ばして、切ろうとしない。そして二人とも、よく今のような仕草をする。

また、あまりにも人間的な、女性らしさまで加わった動きだった。

「すまない」

これは謝罪ではなく、その問いには答えられないし、答える必要もないという返答の要約のように、孝太郎には聞こえた。

「おまえたち、私と会ったことは忘れた方がいい」

「そうは行くか」

身を乗り出す都築の腕を押さえて、孝太郎は言った。「消えたのは僕の友人で、森《もり》永《なが》さんという人なんです」

女が初めてまばたきした。右はひとつ、左はふたつの黒い瞳が揺れる。

「真面目《まじめ》で優しい人です。その人の行方がわからなくて心配で、だから——」

そのとき。

女の頭上に突き出している大鎌の刃が光った。三日月型の白刃が光った。

曙光《しよこう》ではない。頭上はまだ暗い。夜明けの光はまだ遠い。東の空の一端が、分厚い闇《やみ》の天幕がわずかに緩んだように白んでいるだけ。

その光は、動きは、白刃のなかから生じていた。刃の内側で何かが動いている。

驚愕《きようがく》のあまり、孝太郎は目を剝いた。反射的に都築を押さえた手に力がこもり、おっさんがうっと唸《うな》った。

あれは森永だ。森永の目が、大鎌の刃のなかからこっちを見た。見慣れた顔だ。間違いじゃない。

「森永さん！」

孝太郎の口から、自分でも驚くほど甲高い叫び声が飛び出した。

大鎌のなかの森永の双眸。まるで三日月型の刃が窓で、そこからこちらを覗《のぞ》いているかのようだ。その目が孝太郎の叫びに反応した。とっさにまばたきし、横に動いて消えた。逃げるように。

「森永さん！」

もう一度叫び、孝太郎は女に突進した。女は着地したときと同じようにやわらかく膝を曲げ、ひと蹴《け》りしてジャンプすると距離を空け、屋上の縁に降り立った。孝太郎はもんどりうって転び、顔からコンクリートの床に突っ込んだ。

もがくように半身を起こす。信じられない光景が目に飛び込んできた。今度は別の一対の目元が、大鎌という〈窓〉の向こうに現れた。誰かわからない。またすぐに消えた。あれは何だ。いったいぜんたい、あれは何だ。

這いつくばったまま、肩越しに都築に叫ぶ。

「見ましたか？　今のを見ましたか？」

見た——と、唸るような都築の声がした。

「人の顔だ。あれが森永君か？」

「そうです！」

「おいおまえ、彼に何をしたんだ？」

女に向かって声を荒げ、都築は立ち上がろうとして、半端《はんぱ》な中腰になっている。

女は屋上を囲む縁の上に立っている。回り縁の幅は一五センチぐらいしかないのに、易々《やすやす》と立っている。そして都築と孝太郎を見おろしている。

右目にひとつ、左目にふたつ。あり得ない三つの瞳のなかに、わずかに感情が浮かんでいる。憐憫《れんびん》――か。こっちは二人ともまともに立っていることさえできず、見おろされている。だからそう感じるだけなのか。

「理由《わけ》あって、私はこの〈領域《リージョン》〉で力を集めている」

共鳴する声。再び、心臓の芯に響いてくる。難しい教えを幼い子供に説き聞かせるように、女は一語一語をはっきりと発声する。そのたびに共鳴が生じる。

「同胞《はらから》を案じるおまえの気持ちは、私にもわかる。すまない。だが私は、彼らの命を刈り取っているわけではない」

殺してはいない、というのか。

「森永さんに何をしたんだ？　猪野《いの》さんもそこにいるのか？　おまえの――その大鎌

のなかに」

生身の人間が武器のなかに閉じ込められるなんて、そんなことがあるもんなのか？

「何も問うな」

女はゆっくりとかぶりを振る。

「私を追うな」

今度は都築に向かって言った。

「おまえは、この領域の罪を漁《すなど》る者だな」

都築はぽかんとしている。

「どういう意味だよ」と、孝太郎は訊いた。この女、おっさんが刑事だったことがわかるのか？

女は都築に言う。「だが、罪業《ざいごう》の汚濁の波が打ち寄せる岸辺を離れて、既に久しい。おまえは老いており、病んでいる」

都築はまた膝をつき、それでも身体を支えきれずに手をついた。下を向いて喘《あえ》ぎ、苦しそうに片手で左胸を押さえる。指を立てて摑むようにして押さえている。

あの共鳴のせいだ。おっさんが内視《スキャン》されている。それが苦しいんだ。

「やめろよ！　やめてくれ」

孝太郎は再び女に飛びかかろうとした。膝に力が入らない。女は軽やかに回り縁を蹴って飛び、また距離を空ける。前屈《まえかが》みになったまま、都築が顔だけでその動きを追いかける。息が荒い。

「老いた漁師よ。おまえには分別があろう。私を追うな。この子にも私を追わせるな」

女はつと指をあげて孝太郎をさし、〈この子〉と呼んだ。

「私はこの領域の者の命を刈りに来たのではない。それが目的ではない。だが、おまえたちが私を追い、邪魔立てするならば、おまえたちを刈らねばならなくなる」

刈る。声で聞いているだけなのに、微妙なニュアンスの違いを、孝太郎は心臓で感じ、聞き分けることができた。狩るのではない。刈るのだ。草を薙《な》ぐように、その大鎌をひと振りして。

「私は——」

わずかに躊躇《ためら》うように間を置いてから、女は続けた。

「言葉という精霊《すだま》の生まれ出《いず》る領域《リージヨン》から来た。おまえたちがその耳で同胞の声を聞き、その眼《まなこ》で顔と姿を見分けるように、私はおまえたちの言葉を見分ける。言葉の流れを読み、おまえたちを見出《みいだ》す。どれほど遠くにいようとも、どこかへ隠れていようとも」

孝太郎の頭は空《むな》しく空回りする。自分の動悸《どうき》がうるさくて集中できない。女は何を言っている？

「〈輪《サークル》〉に生きる者は、すべてが言葉の集積だ。言の葉の精霊の嬰児《みどりご》だ」

何の話だ。理解できない。

「おまえたちが私を追うならば、私にはそれがわかる。おまえたちが私を阻《はば》もうとするならば、私にはわかる」

おまえたちの言葉を読み、遡《さかのぼ》り、探り出し、おまえたちを見つける。

「そして刈り取る。私は戦士だ。立ちはだかる者は倒さねばならない」

女の声に呼応するように、大鎌が冷たい光を放つ。

「私を追うな」

すまない——と呟《つぶや》く。これで何度目の謝罪だろう。

「わ、わかった」

都築が応じた。声が潰《つぶ》れている。顔が土気色になっている。酸欠だ。左手がまだ胸を摑んでいる。自分で自分の心臓を取り出そうとでもするかのように。

「わかった。約束する。おまえを追わない。誰にも言わない」

女が軽く顎《あご》をしゃくって、風に乱れ目元にかかる黒髪を後ろに流した。同時に、都築が咳《せ》き込みながら激しく息を吸い込んだ。溺《おぼ》れかけ、水から引き上げられたかのように。

「罪を集めすぎたな、老人」

ふわりと、女が都築のそばに降り立った。黒い手甲《てっこう》を嵌めた右手を、四つん這いになっている都築の方へと差し伸ばす。

「約定《やくじょう》のしるしに、楽にしてやる」

その手が都築の頭を掴もうとする。

孝太郎の全身の血が沸騰《ふっとう》した。瞬間的に、破れかぶれの力が湧《わ》いてきた。言葉は出てこない。ただ獣のように唸りながら女に向かって飛びかかった。

女の左手が孝太郎を制した。触れられてもいないのに、孝太郎はその場で固まった。物理の法則に逆らう不自然な姿勢で、宙に止め付けられたように静止してしまった。

女の右手が都築の頭の上に乗った。大きな掌が、後頭部から額まで包み込む。その指は白く細く長い。

女のくちびるが動き、共鳴する声音が、歌の抑揚を帯びた。

「我が名はガラ。言の葉の精霊に仕え、始源《しげん》の大鐘楼三之柱《だいしょうろうさんのはしら》を守護する戦士。その名と名誉を以《もっ》ておまえを浄《きよ》めよう」

おっさんが殺される。頭を潰される。首を折られる——

いっぱいに見開いた孝太郎の目から、涙が溢《あふ》れ出した。指を動かすことさえできないのに、なぜか涙だけは頰を伝って流れる。

また女のくちびるが動いた。今度の声音は聴き取れなかった。都築に語りかけたようだった。

その手が都築の頭を撫《な》でる。

都築ががくりと首を折った。うずくまるように倒れてゆく。

「都築さん！」

叫んだ。声が出た。動きが戻った。

唐突に、女が背中の翼を広げた。孝太郎の視界が漆黒の羽根に覆われた。

翼が羽ばたく。風が巻き起こる。倒れた都築と孝太郎の眼前で、女は広げた翼を自分の身体に巻きつけると、それをほどきながら錐《きり》を揉《も》むように飛び立った。漆黒の翼の先端がきわどく孝太郎の鼻先をかすめ、次の瞬間には身体ごと吹っ飛ばされていた。

痛い。

どこもかしこも、全身が痛い。そして寒い。凍えきっている。

孝太郎は屋上の隅に倒れていた。身を丸め、横になっている。顔の左半分はべったりとコンクリートにくっついている。

起きようとすると、吐き気がした。手を動かすと、神経を刺されるような痛みがきた。

上げ蓋のすぐそばに、都築が倒れている。膝を立てたまま半身を倒し、うずくまっている。まるで土下座してるみたいな姿勢だ。

孝太郎は唸りながら起き上がった。足が動かない。膝を曲げて立とうとして、逆に突っ伏してしまった。そのまま両肘《りょうひじ》を使ってにじるようにして都築に近づいた。

空がうっすらと明るくなっている。

都築の顔が見えない。耳たぶまで血の気が抜けている。

「——都築さん」

手を伸ばし、都築の肩を掴んだ。揺さぶろうとしても力が入らない。

「都築さん、生きてますか」

無理だ。死んでる。あの化け物に殺されてしまった。

出し抜けに、都築の身体がびくんと跳ねた。電気ショックを受けたように飛び上がると、起き直った。土下座から正座の姿勢になった。激しくまばたきしている。その目は真っ赤に充血している。眼底出血《がんていしゅっけつ》しているみたいだ。

「都築さん」

どやしつけられたようにまたびくんとして、都築は孝太郎に目を向けた。

「――三島《みしま》君」

二人でただ顔を見合わせる。

「大丈夫か？」

都築はようやくぎくしゃくと身体を動かし、孝太郎を抱き起こそうとした。

「つ、都築さんこそ、無事なんですか」

生きてる。息をして動いてしゃべっている。

――楽にしてやる。

あれは、殺すという意味じゃなかったんだ。

「ひどい顔だ。おい、どっか折れてないか」

都築に助けられ、孝太郎も起き上がった。

「やたらに動くな。座れ。座ってゆっくり息をしろ」

言われたとおりにしてみると、胸の右側が痛んだ。頬がひりひりする。触ってみると血が出ていた。擦り剝いたらしい。

互いの顔がよく見える。夜が明けた。新宿の街に真冬の朝が来た。

「動けそうか？」

孝太郎は慎重に、両手で身体をさすってみた。足首を曲げ伸ばす。痛い。やっぱりどこもかしこも痛むが、ただの打ち身のようだ。我慢できないほどじゃない。

「動けます」

「じゃ、ともかく下に降りよう」

しかし、都築の方は足が動かない。

「痺れてる。ちくしょう、いよいよ駄目か」

「オレにつかまってください。指に力は入りますか」

「何とか」

「梯子を降りないと」

孝太郎も手助けしたが、結局、都築は腕力だけで梯子を降りた。半分は落下したようなものだ。段ボールの上で、またしばらく動けなくなってしまった。

「救急車を呼びます」

「ちょっと待て。ここを出てからだ」

「だって」

「肩を貸してくれ。ゆっくり降りよう。君も足元に気をつけてくれよ。二人で階段を転げ落ちたんじゃ、笑い話にもならん」

それでも、都築を担ぐようにして四階までのぼるのではなくて、まだ幸いだった。

「すまん、荷物も頼む。そのあいだに、俺は考えをまとめとく」

何をどうまとめるっていうんだ。

孝太郎が自分のリュックを背負い、都築の鞄《かばん》を手に降りてくると、都築は一階の階段の下で頭を抱えていた。

「大丈夫ですか」

問いには答えず、強い視線で孝太郎を見た。

「いいか、君は俺と会っていない」

急《せ》き込んだ口調だ。

「君は昨夜、ここにいなかった」

「何言ってンですか。何も覚えてないんですか？」

「覚えているさ。だから言ってるんだ。君こそあの怪物の言葉を忘れたか？」

私を追うな。

「あれは警告だ。いや、あいつは〈約定〉と言ってたが」

「言うとおりにするっていうんですか？」

「それしかあるまい。ともかく今は」

都築の真っ赤になった白目に、涙のようなものが浮かんでいる。

「俺が悪かった。昨夜のうちに、君を追い返しておくべきだった」

「そんなの——」

「だが、こうなっちゃもう仕方がない。いいか、よく聞け」

思いのほか強い力で、都築は孝太郎の手首を摑んだ。

「昨夜のことは誰にも言わない。俺は黙っている。君も黙っている」

「でも、森永さんが」

「警察に任せろ。君は手を引け」

孝太郎にではなく、都築は自分自身に言い聞かせているようだった。

「都築さん、怖《お》じ気《け》づいちゃったんですか」

元刑事のおっさんは、自棄《やけ》になったみたいにひと声笑った。

「そうさ！　あんなものを見て、あんな目に遭ってブルわない奴《やつ》がいるか？」

「オレは嫌です」

「嫌でも、ここは俺の言うとおりにしろ。ほかに手はない。こんな話、誰にどう説明したって信じてもらえるわけがない。かえってややこしくなるだけだ」

睨《にら》み合った。年齢差のせいではなく、人生経験のせいでもなく、気迫と説得力の差で孝太郎が負けた。

「俺の鞄だけ、正面入口の前に運んでおいてくれ。あとは自分で何とかする。怪しまれないくらいこのビルから離れて、救急車を呼ぶ。君は消えろ。すぐ消えろ」

その言葉に気圧《けお》されながらも、孝太郎はかろうじて抗《あらが》う道を見つけた。

「ケータイ、ちゃんと持ってますか？」

都築はダウンジャケットのポケットを探った。「あるよ。これで一一九番するから」

引っ張り出された携帯電話を、孝太郎はもぎ取った。都築が目を剝く。

「何をする？」

「赤外線通信」

孝太郎は自分のケータイも取り出した。

「あとで連絡を取り合いましょう。オレは、これっきりにするつもりなんてありませんからね」

「生意気なガキだ」

「ええ、そうですよ」

操作を終え、孝太郎は自分のケータイをしまった。都築のケータイは握ったまま、彼の顔を見つめた。

「何だよ。まだ何かあるのか」

「都築さん、大丈夫ですか」

「大丈夫なもんか。歩けないんだ」

そっちの意味じゃない。

――おっさん、どこもおかしくなってないのか？

屋上で、ガラと名乗った女戦士は言った。罪を集めすぎたな、老人。楽にしてやろう。彼の頭に手を置き、〈浄める〉とも言った。

あれはどういう意味だったのだろう。ガラは都築に何をしたのか。

外見にはまったく変化がない。頭というか、心のなかをいじられたとしか思えないが、記憶が消えたり変質している様子はなさそうだ。

おっさん、何をされたんだ？

「俺のケータイを返してくれ。君はとっととここを離れるんだ」

都築が焦《じ》れる。孝太郎は身を引いて、空《あ》いている方の手を都築の前に突き出した。

「鍵《かぎ》をください」

「あん？」

「ここの通用口の鍵。あるんですよね」

都築は呆《あき》れたように目をしばたたかせる。「どうする気だ？」

「僕が預かります」

「そんな必要はない。早くケータイを返せ」

「鍵と交換です」

都築の顔を見据えたまま、孝太郎はわざと都築の携帯電話を遠ざけた。

「鍵をください」

怒った顔のままで鼻息をひとつ吐き、都築はズボンのポケットから真新しいディンプル・キーを取り出した。

「もうこんなものに用はないだろうに」

「どうかわかりません」

鍵と携帯電話を交換し、リュックを担いで立ち上がった孝太郎に、都築は追いすがるように呼びかけてきた。

「あの怪物を追っちゃいかん。追うなと言われただろう？」

返事をせず、通用口へ向かった。小走りになると、右足首がずきんと痛んだ。

「あんなもんは、我々がどうにかできるようなものじゃない」

都築の声は割れていた。

「一人で無茶をするんじゃないぞ！」

扉を開ける。新鮮な朝の光がお茶筒ビル一階のロビーに差し込んできた。

「都築さんも早く外へ出てください」

振り返ってそれだけ言い捨て、孝太郎はお茶筒ビルを離れた。痛む右足をかばいながら、できるだけ早足で路上へ出た。

通用口の鍵を、まだしっかり握りしめていた。その感触が、昨夜の出来事の唯一《ゆいいつ》の物証のように思えたから。

2

翌日はまる一日、努めて何も考えないようにして過ごした。

それは易しかった。難しいのは、何も思い出さないようにすることの方だった。目を閉じなくても、ちょっと現実から気がそれると、瞼《まぶた》の裏に焼きついたあのときの光景が見えてしまう。漆黒の翼を持つ女戦士の声が、不可思議な共鳴の感触を伴って、耳の奥ばかりか身体じゅうに蘇《よみがえ》ってしまう。

そのたびに確信した。あれは現実だった。幻覚を見たのではない。女戦士は確かに存在した。そして彼女の大鎌の刃の奥には、森永が閉じ込められていた。

どれほど嘘《うそ》くさくても、信じ難くても、お茶筒ビルでの体験は事実だ。自分をごまかすことはできないし、オレはどっかおかしくなってるわけでもない。

腹が決まると、孝太郎は猛然と調べ始めた。授業はサボり、バイトも休ませてもらうように連絡を入れると、自室に籠《こ》もった。パソコンにかじりついた。検索、検索、検索。

ガラという名前もしくは名称には、ヒット件数が多すぎた。〈有翼人〉も、ファンタジー系のフィクションでは珍しくもなんともないので、やっぱり情報が多すぎる。では〈輪《サークル》〉はどうか。ごく普通の単語だが、あの女戦士は何か特別な意味を含ませているように聞こえた。〈領域《リージョン》〉もそうだ。

少し角度を変えて、音声の共鳴現象についても調べてみた。ある生物の発する声が、他の生物の身体《しんたい》に働きかけ、共鳴させることは可能なのか。それによってその対象の構造を調べたり、生理現象に変化を起こすことはできるのか。

大量の情報のなかに、孝太郎のあの体験を説明してくれるものは見当たらない。図書館や書店にも足を運んでみた。

そのあいだに、都築に一通だけメールを打った。体調を尋ね、都築に会おうと思ったらどこへ行けばいいのか、それだけの内容だ。返信はなかった。孝太郎としても、すぐ応じてもらえると期待してはいなかった。

出会ったとき、都築は相当に気骨のありそうな人物に見えた。元刑事という経歴を知らずとも、そのままで手強いおっさんだった。それがあの女戦士の前では手もなく降参し、彼女との〈約定〉を受け入れたのは、圧倒的な力の差を見せつけられたからだろうし、下手に逆らって、孝太郎もろとも殺されてしまってはいけないと思ったからだろう。

もちろん、二人ともびびっていた。充分に怯《おび》えていた。都築の言葉を借りるなら、あんなものを見てブルわない奴はいない。

だが、その分をさっ引いても、ガラと遭遇した後の都築の呆気《あっけ》ない陥落は、孝太郎には不審に思えた。私を追うな。はい、追いません。約束したんだから、君も追っちゃいけないよ、三島君。こんなとんでもない事態を目前に、それじゃ元刑事の経歴が泣くだろう。

おっさんがガラに〈浄め〉られたのは、もしかしたらその部分ではないかと、孝太郎は考え始めていた。つまり気概を奪われ、気骨を折られたということだ。

女戦士ガラは、都築を〈罪を漁《すなど》る者〉と呼んだ。言い回しは装飾的だが、犯罪を追うことを使命とする人物——という意味に違いない。あのおかしな共鳴で対象を内視《スキャン》することにより、ガラはそうした情報を得ることができるのだろう。前後の状況を考え合わせると、そうとしか思えない。

ならば、孝太郎のことも理解したはずだ。こちらは平凡な学生。戦う術《すべ》など何ひとつ知らない。そこらに転がっているバールさえ満足に振り回すこともできず、都築には「そいつはまだ子供だ。手荒なことをしないでやってくれ」とかばってもらった。

ガラが二人を見比べて、都築の方が主導者であり、手強いと判断したとしても無理はない。だから都築に〈約定〉を強いた。弱い子供の孝太郎には手を出さずとも、こいつらを封じるにはそれで足りる、と。私を追うな。はい、追いません。

ならばそれは間違いだ。オレは諦《あきら》めないぞ。オレは追ってやる。深夜にパソコンの前で、あるいは寒風をついて駅へ自転車を漕《こ》ぎながら、あるいは家族と食卓を囲んでいる一瞬にも、孝太郎は常に考えていた。時には一人で声に出して呟いてみることもあった。オレは追いかけるからな。森永さんの身に何があったのか、今も何が起こっているのか突き止めるまでは、諦めるもんか。

——私はおまえたちの言葉を見分ける。言葉の流れを読み、おまえたちを見出す。

上等じゃねえか。だったら見分けて、オレを見つけてみろ。オレはおまえに用がある。女戦士ガラ。オレは絶対、絶対、このまんま引き下がったりしないからな。

孝太郎は激していた。これが怒りだとしたら、無謀な怒りだ。義憤とか、正義のためとか、ましてやこの感情が勇気に裏打ちされたものではないこともわかっていた。

他の人間を巻き込んではいけない。この件についてはもう誰にも話さず、一人で秘密を抱えなければいけない。やたらと激していても、そのくらいの分別は働いた。それに、この部分については都築の見解が正しい。誰がこんな話を信じてくれるものか。

そんな状態でさらに二日間過ごしたら、夜になって芦谷要《あしやかなめ》から電話がかかってきた。

「コウタロウ、どうしちゃったの？」

孝太郎は自室にいて、まだパソコンと向き合っていた。カナメの声で我に返った感じになって、急に疲労を感じた。

「何度もメールしたのに、見てないの？」

都築からの返信がないか、ケータイの受信ボックスをチェックしてはいたが、内容は見ていない。山ほど溜《た》まっているのは知っていた。

「ごめん」

「ひどいなあ。勝手に休むし。あたし、孤児《みなしご》になったみたいな気分」

たった数日なのに、大げさだ。でも嬉《うれ》しかった。久しぶりに、心の違う部分が動いたような気がした。

「真岐《まき》さんからもメールが行ってるはずよ。森永さんのことで、警察の人がコウタロウにも会いたがってる」

「じゃ、捜査が始まってる？」

カナメの返事はちょっと遅れた。「うん、まあ、そうみたい」

「オレに会いたいってのは」

「コウタロウ、森永さんから何か聞いたんだよね？　だからコウタロウがバイトに出てきたら知らせてくださいって、あたしも頼まれてるの」

その程度か。孝太郎を直撃することもなく、バイトに出てくるのを待ってる。

「警察は、森永さんの失踪《しっそう》をどう思ってるんだろう」

「あたしにはよくわかんないけど、何か事件に巻き込まれたんじゃないかって。そのへんは真岐さんに聞いてよ。まさか、もうバイトに来ないつもりじゃないんでしょ？」

「明日行くよ。朝イチで行く」

今となっては、警察の捜査などあてにしても仕方ない。だが、ほったらかしにしておくのもまずいだろう。

「真岐さん、怒ってるよ。よりによってこんなときに、どうして急に休んだりしたのか、ちゃんと説明して謝った方がいいよ」

「わかった」

ごめんともう一度言って電話を切ると、ため息が出た。

何か事件に巻き込まれたんじゃないか、か。そうですよ。森永さんは恐ろしくへんてこな事件に巻き込まれてるんです。警察の手には負えません。

――私はこの〈領域《リージョン》〉の者ではない。

犯人は、異世界の存在だから。

翌朝、八時ちょうどにクマーに出勤した。真岐はもう彼のデスクについていた。

「ちょっと来い」

いきなり叱《しか》られるかと思ったら、まず現状を説明してくれた。森永の捜索願は、彼のアパートの住所地を管轄《かんかつ》する警察署が受け付けた。で、あまり事件性を感じていないらしく、腰が重い。壊れたスマホが落ちていたことに、少し引っかかっているという程度だ。

「森永が女の子だったら、話はだいぶ違うんだろうけどな」

真岐も不服そうな表情を隠していない。

「あいつが〈調査〉していたことは、ナリさんから話してある。刑事がコウダッシュに会いたがってるのは、その確認のためだ」

「わかりました」

「森永のお父上も、コウダッシュに会いたがっていた」

「――そうですか。すみませんでした」

「何で休んだ？」

言い訳は用意してあった。「家の事情です。内々《うちうち》のことなんで」

本当にスミマセンと、深く頭を下げた。顔を上げてみると、真岐が絵に描いたような不審そうな目つきになっていた。

「おかしいね」

孝太郎は目を逸《そ》らした。

「急に熱が冷めたみたいだな。森永のことが心配じゃなくなったのか？」

「心配です」

「そうは見えない」

孝太郎は返事をしなかった。真岐もそれ以上は訊かなかった。

「お嬢と相談してシフトの組み直しをしろ。おまえが空けた穴を、けっこう無理して彼女が埋めてくれたんだ」

「了解しました」

気詰まりに会話が切れた。孝太郎がデスクを離れようとすると、真岐は言った。

「〈指ビル〉の件で、専従班をつくった」

孝太郎はちょっとまばたきした。

「事件が拡大してるからな。もう、正確には指だけのビルじゃなくなってるし、今後はもっと嫌な展開になるかもしれないから」

「わかりました」

「それだけか？　志願しないのか」

不審を通り越し、真岐ははっきり不満そうな顔になった。

「そっちの熱も冷めたみたいだな。どうしたんだよ、コウダッシュ」

むらむらとこみ上げてくるものを、孝太郎は強いて呑み下した。

「何でもありません」

打ち明けたかった。言ってしまいたかった。正直、それどころじゃなくなっちゃったんです。オレ、めちゃめちゃ現実離れした体験をしました。命に関わる体験でした。信じてもらえないかもしれないけど、本当なんです。森永さんはとんでもないことになってます。彼がどこにいるのかオレは知ってるけど――

駄目、駄目、駄目だ。誰も巻き込んではいけない。都築のおっさんだってそう言ってたじゃないか。千草《ちぐさ》さんという女性を巻き込んだことを、ひどく悔やんでいたじゃないか。

秘密を抱えるというのは、こういうことなのだ。ただ胸が重たいだけじゃない。ただ苦しいだけじゃない。まわりの人たちから切り離されるということなのだ。

仕事はこれまでどおりにした。ルーティーン・ワークだ。訪ねてきた刑事にも会って話をした。口調は丁寧だけれど、あまりやる気のなさそうな中年男だった。

午後になるとカナメが出てきた。最初はふざけて、お詫《わ》びにうんと高い店で奢《おご》れとか言っていたけれど、だんだん心配そうになった。

「コウタロウ、ホントにどうしたの？」

「別に」

「何か変わっちゃったみたい」

「代わってもらった分、オレがこなすから、カナメは休んでよ」

「そっちの意味の〈かわった〉じゃないんだってば」

そんなところへ、ひょっこり山科《やましな》社長が顔を見せた。たった今到着したという感じで、鞄を提げコートを着たままだ。

「セイちゃん」と、真岐に手を振る。真岐がうなずいてデスクから立ち上がる。

出入口の重たいガラスドアを肩で支えたまま、山科社長は孝太郎とカナメに笑いかけてきた。

「お疲れ」

「お疲れさまです」と、カナメが応じる。

「森永君のこと、心配だろうけど、元気出していこうね」

「はい」カナメは大きくうなずき、まるで反応しない孝太郎を肘で突《つつ》いた。

口元に微笑を残したまま、山科社長は半身を傾けて孝太郎の顔を覗《のぞ》き込むようにした。

「ショックなんだね。こういうアクシデントには、意外と男の方が脆《もろ》いのよ」

後半の言葉はカナメに向かって言った。

「カナメちゃん、頼むね」

「しっかりコウタロウをカバーします」

真岐が近づいてきて、「俺はそんなに脆かねえぞ」

「何言ってンの。セイちゃんだって、夜も眠れないぐらい心配してるくせに」

「おしゃべりな奴だ」

山科社長の背中を押すと、二人でドアの向こうに消えた。

真岐誠吾《せいご》が山科鮎子《あゆこ》に触れた仕草は、自然で親しげだった。それは一瞬、こんな時でさえ、孝太郎の未熟な嫉妬《しっと》心《しん》を刺激するほどに〈手慣れた〉感じだった。

「元気出すんだよ、コウタロウ」

カナメの手がのびてきて、孝太郎の頭を「いいこいいこ」するみたいに軽く撫でた。

その優しい感触に、孝太郎はまたも目が覚めたようになった。

オレはやっぱ、この人たちみんな好きだ。

みんなを守るためにも、オレは頑張らなくちゃいけない。このみんなのところに、森永さんを取り戻すんだ。

いろいろ考えて、ひとつ思いついたことがある。

ガラが言葉の流れを読むことによって対象を探せるというのなら、孝太郎の側からできるだけたくさんの言葉を発信すればいいのではないか。ガラにとって愉快ではない言葉を。そしたら、あいつはすぐにも孝太郎を〈刈る〉ために現れるのではないか。ネットというのは言葉の海だ。言葉の混沌《こんとん》の大海だ。それは言葉の受け皿でもあるということだ。

〈輪《サークル》〉〈領域《リージョン》〉〈ガラ〉〈言葉という精霊《すだま》〉。誰かこの言葉の意味を知りませんか。何か思い当たりませんか。あちこちの掲示板やサイトに、孝太郎は質問を書き込んだ。ほかにも、あのときガラが発した言葉、大鐘楼《だいしょうろう》がどうとかこうとか言ってなかったか。何とかの大鐘楼の——三之柱《さんのはしら》だっけ？　それも書き込んだ。

リアクションはたくさんあった。真面目なものから不真面目なものまで、親切なものから意地悪なものまで。それはどうでもよかった。とにかく発信し続けることだ。ガラ、オレを見くびったのは間違いだ。オレはおまえを追ってるんだぞ。勇気凜々《りんりん》だといったら、嘘になる。正直、大いにビクついたままだ。これでもまだ現れないか？　これならどうだとキーを打ちながら、振り向いたら背後にガラがいて、あの大鎌が振り下ろされる——そんな光景を思い描かないわけではなかった。

ただ、これも少し落ち着いてからやっと考え至ったことだけれど、

――ガラには言葉が通じる。

あの女戦士とは話し合いができるはずだ。戦ったら勝ち目がないのは目に見えている。でも、こっちが切実に森永の身を案じ、彼に何が起こったのか、ガラが何をしているのかを知りたがっているのだと通じれば、道が開けるのではないかという気がした。

空頼《そら》みかもしれない。でも、今さらのように思い出されるのは、あの遭遇の際にガラが何度も、

――すまない。

詫びていたということだ。あの謝罪には誠意こそあれ、悪意は含まれていなかった。

それに、こうも言っていた。

――理由《わけ》あって、私はこの〈領域《リージョン》〉で力を集めている。

ガラには動機があるのだ。理由があって、この世界にいる。彼女の表現ではこの〈領域〉に来て、人間の力を集めている。

その〈理由〉とは、もしかしたら何らかの使命なのかもしれない。あの女は、誰かに、何かに仕える騎士みたいな身分なのかもしれない。

何日もそうやって言葉を発信し続けても、ガラは現れなかった。

お茶筒ビルに行ってみようか。

都築からは依然、返信も連絡もないままだ。刑事のおっさんが不在でも、刑事ドラマの真似事《まねごと》をしてみたっていいだろう。行き詰まったら現場に戻れ。

こうして、あの遭遇からちょうど十日後、孝太郎は今度は一人でお茶筒ビルの屋上にのぼった。

もう暗がりに怯えることはなかった。凍える夜気のなかに佇《たたず》み、打ち壊されたガーゴイル像の破片に混じって、夜空を仰いで辛抱強く待った。

結局、待つだけに終わった。あのとき言っていたとおり、ガラはここから立ち去り、ほかの場所に足場をつくったらしい。

早朝、冷え切った身体《からだ》でリュックと落胆を背負い、家に帰ると、玄関のところでばったり一美に出くわした。ジャージを着てラケットバッグを持っている。

「お兄ちゃん」

咎《とが》めるように目を細くして、一美は白い呼気を吐いた。

「あたし、朝練なんだ」

「ああ、そうか」

通してやろうと思って一歩脇《わき》にどいたのに、一美はドアの前で動かない。

「お兄ちゃんは朝帰り。これで二度目だね」

叱られてるのかな。

「お母さん、お兄ちゃんのバイトやめさせるって言ってるよ」

母・麻子《あさこ》は、孝太郎がクマーの業務に熱中して徹夜しているると思っているのだ。

「あの連続切断魔の事件のこと、クマーでも調べてるんでしょ？」

四人目の被害者が膝《ひざ》から下を切断されていたことで、〈指ビル〉は〈切断魔〉という何とも殺風景な呼び方をされるようになった。日本の警察機構がもっとも苦手とする広域合同捜査で、相変わらず進展はなく、テレビのニュースショーでは同じ情報ばかり繰り返し流している。

孝太郎の現在の煮詰まり状況の所以《ゆえん》を、家族がそっち方面に誤解しているなら、素直にその誤解を利用させてもらおう。

「バイトはやめないよ。大学の授業はちゃんと受けてるし、問題ないんだ。オレから母さんに説明する」

「そう」素っ気なく応じて、一美は手袋をはめた手で前髪をかきあげた。

「あたしは、お兄ちゃんの朝帰りはバイトのせいなんかじゃないと思ってる。カノジョができたんでしょ」

思わず吹き出してしまった。カノジョができたから朝帰り。短絡的だな、中坊。

「そうそう、そういうこと」

軽くいなしてやったのに、一美は笑わないどころか、怒ったような目つきだ。

「どんな女だか知らないけど、付き合うの、やめなよ」

何を言い出すんだ。

「自分の顔、鏡で見てごらんよ。ひどいよ。そんな顔つきになるような相手、ろくな女じゃないに決まってる」

オレは一晩じゅう外にいて、骨まで冷え切って疲れ切って、腹も減って死にそうなのに、こいつ、説教垂れるのか。

大真面目《おおまじめ》な妹の顔を見ていたらおかしくて、孝太郎はまた笑った。この前カナメがしてくれたみたいに、一美の頭を「いいこいいこ」してやりたくなった。それどころか抱きしめてやりたくなった。実際にやったら、張り倒されるだろうけど。

「——心配するな」

本当は、心配してくれてありがとうと言いたかった。言い換えたのは、兄貴のメンツだ。

「部活、頑張ってるんだな。美香も元気か？」

一美は、ボレーの練習をしているところにバレーボールが飛んできたという顔をした。

「急に何よ。ごまかそうとしてるね」

「違うって。元気ならいいんだ」

その場を動かない一美の脇を抜けて、ドアを開けようとした。

「ネットのいじめは収まったよ」

一美は小声で早口に言った。

「何事もなかったみたいに、きれいさっぱり終わった。何か、かえって薄き——」

そこで口をつぐんだ。いい言葉ではないから、言いたくないのだろう。

「薄気味悪いみたいか？」

一美は黙ってうなずいた。

「ネットの騒動ってのは、そんなもんなんだよ。台風と同じでさ。もちろん、一度何かあると、どっかしらに記録として残るから、消えて失《な》くなるわけじゃない。でも熱狂が醒《さ》めると、あれはいったい何だったんだろうって不思議なくらいに終息しちゃうもんなんだ」

「ホント？」

「ホント。バイトとはいえ、プロの端くれのオレが言うんだから信じろ」

返事のかわりに、一美は大きなラケットバッグを担《かつ》ぎ直した。そしてぷいと歩き出した。

孝太郎はその場に留まっていた。一美は道を渡り、お向かいの園井家《そのいけ》のインターフォンを押した。すぐに、同じジャージ姿でラケットバッグを担いだ美香が出てきた。

「あれ？　コウちゃん、おはよう」

孝太郎に手を振る。明るい顔、明るい声だ。

「おう」

一美が美香に顔を寄せ、ごしょごしょと何か囁《ささや》いた。アニキ、朝帰りなんだよとチクッたらしい。美香が笑い出した。

「ヤダなぁ。気をつけてね、コウちゃん」

「何だと？」

「行ってきまぁす」

弾む足取りで朝練に出かけてゆく妹と妹分を見送るうちに、

――おっさんに会いたい。

出し抜けに、脈絡もなく、その想《おも》いがこみ上げてきた。今、孝太郎が直面している事態を分かち合えるただ一人の存在に会いたい。そうしないとパンクしてしまいそうだ。

家に入る前に、都築に二通目のメールを打った。そうしておいて正解だった。ドアを開けるなり、麻子の声が飛んできたからだ。

「孝太郎！」

朝飯を食べながら叱られ、弁明し、折衝し、何とか妥協点を見出《みいだ》し、風呂《ふろ》に入り、へばりきってしまった。今日の講義は午後二時からだ。目覚まし時計をかけて寝た。

起きると、都築からの返信が届いていた。

〈千代田区九段下　向陽《こうよう》会病院新館　三〇二号室〉

「何スか、それ」

「歩行器だ」

向陽会病院三階のロビーである。パジャマの上にカーディガンを着た都築は、小ぶりなブティックハンガーみたいなものに摑《つか》まっていた。孝太郎がエレベーターを降りてロビーに着いたら、目の前にその状態の都築がいたのだった。

「毎日、この廊下を往復して歩行訓練しているんだよ」

孝太郎と別れた後、救急車を呼んだ都築は、掛かりつけのこの病院に搬送してもらい、そのまま入院。二日後には脊柱管狭窄症《せきちゅうかんきょうさくしょう》の手術を受けたのだという。

「もう歩けるんですね？」

「とっくに歩いてたよ」

腰はまだギプスで固めてあり、傷は痛むし、退院まで三週間ほどかかるというが、

「足は痛まないんだ。痺《しび》れもない。嘘みたいにきれいさっぱりだ」

解放された人質みたいな顔をしている。

「病室へ戻るから、一緒に行こう」

都築は歩行器を押して、そろりそろりと向きを変える。孝太郎がちょっと躊躇《ためら》うと、

「個室だから平気だよ。話せる」

よかった。あんまり晴れ晴れとしてるもんだから、おっさん、今度こそ大事な記憶を失くしてるんじゃないかと思った。

「予定より早い緊急入院だったから、個室しか空《あ》いてなくてね。来週、四人部屋に移れそうなんだが」

こぢんまりときれいな病室だった。窓から千鳥ヶ淵《ちどりがふち》が見える。

「で、君はどうしてた？」

ベッドに落ち着くと、都築の方から切り出してくれた。

「落ち着きませんでしたけど……」

折り畳み椅子《いす》に腰をおろし、恥ずかしながら、孝太郎はちょっと泣けてきそうになった。仲間に会えた。それだけでまず、秘密の重みに負けかけていた心の軋《きし》みが収まった。

「都築さん、奥さんには？」

「適当に言い訳して済んでる」

あの夜の都築は、ＯＢ会の温泉旅行に行っていることになっていた。

「女房は、もともと言い訳クサいと疑ってたんだとさ。何か別件だろうって」

妻というのはみんな鋭いのか。都築夫人は刑事の妻だから格別なのか。

「でも、ほんの一分《いちぶ》でも俺の浮気は疑ってねえんだよ。そういう部分でのみ信用があるってのは、つまらんな」

おっさん、ホント晴れやかだ。そわりと、不安が孝太郎の首筋を撫《な》でる。

「オレ、あのあといろいろ調べたりしてるんですけど」

つっかえつっかえ、この十日間のことを話した。ただ、昨夜お茶筒ビルで夜明かししたことは言わなかった。言えなかったのだ。ベッドに横たわり、頭だけこちらに向けて話を聞いている都築の表情が、孝太郎を哀れんでいるような、困ったもんだというような――つまり、共感からはほど遠かったから。

孝太郎が口を閉じると、明るい病室のなかが静まりかえった。

都築がぼそっと言った。「目新しい情報はないってことだな」

「――はい」

「で、あのガラという女は君のもとに現れていない、と」

孝太郎がうなずくと、折り畳み椅子がキィと鳴った。

「なあ、三島君」

ベッドの上でちょっと肩を動かし、痛いというよりは鬱陶《うっとう》しそうに呻《うめ》くと、都築は言った。

「あれは悪い夢だったってことにせんか」

孝太郎は返事ができない。都築も、返事など求めていないというように淡々と続けた。

「あの女は、こっぴどく俺たちを脅しつけた。私を追うなと、何度も言ったよな。追ってきたら倒す、私は戦士だからって」

折り畳み椅子を軋ませながら、孝太郎はただ何度もうなずく。

「だが、この十日間、君がそうやって活動していても、あの女は現れない。君はネットにがんがん情報を流して、あの女との約定とやらを破ってるのに」

だったらさ――と、都築の目元が初めて孝太郎を慰めるように緩んだ。

「あれは現実のことじゃなかったんだ。あの女は実在しない。俺たちは一緒に、突飛で不可思議な夢を見たんだよ」

孝太郎はまた返事ができない。でも今度は言葉が見つからないのではなく、言いたいことはあるけど声にならないのだった。

おっさん、やっぱりおかしい。

カナメの台詞《せりふ》じゃないけど、〈何か変わっちゃったみたい〉。

みたいじゃなくて、変わったんだ。ガラのせいだ。

おっさんの何を〈浄《きよ》め〉た？　おっさんを楽にしてやるって、何を抜き取った？

気骨、気概、刑事魂。何でもいい。ただ、今目の前にいる都築という元刑事は、孝太郎がお茶筒ビルの中で遭遇したおっさんとは別人だ。動くガーゴイル像の謎《なぞ》を追いかけていた男とは別人だ。

「そうですね」

気がついたら、他人事《ひとごと》を語るみたいに平べったい声で、そう答えていた。

「オレもそう思うことにします。どっちにしろ、もう手詰まりで、これ以上は何もできないし」

「そうだよなあ」

都築の目は、平和そうにのんびりと曇っている。

「手術が成功してよかったです」

「術後、一晩は痛くて眠れなかったよ」

ずれていた脊椎《せきつい》を元の位置に戻し、「こんなに太いチタンのボルトで固定してあるんだ」と、指で丸をつくってみせた。

「ボルト四本だぞ。もう飛行機に乗れないんじゃねえか。金属探知機に引っかかるだろ」

「危険人物じゃないってことを証明するために、レントゲン写真を持ち歩かなきゃなんないですね」

孝太郎が笑ってみせると、都築も痛そうな顔をして笑った。

ここの女性看護師は美人揃《ぞろ》いだけれど、甘やかしてはくれないこと。術前の検査が恐ろしく痛かったこと。病院の飯が旨《うま》くて驚いたこと。入院が春だったらこの窓から千鳥ヶ淵の花見ができたこと。回復期にある入院患者と見舞客にふさわしい話をいくつかして、孝太郎は腰をあげた。

「よかった。安心しました。お大事にしてください」

「ああ、ありがとう」

病室のドアのところまで行き、自分に対する駄目押しのように、訊《き》かずにいられなくなって、孝太郎は問いかけた。

「都築さん、千草さんでしたっけ、倒れて入院したご近所の方、その後いかがですか。様子を聞いてますか？」

都築は軽く目をしばたたき、

「残念なことになったよ。つい三日前だっていうんだけど」

意識が戻らないまま亡《な》くなった、という。

「そうですか。ホント残念ですね」

「気遣ってくれてありがとう」

都築の言葉はそれだけだった。

廊下に出ると、膝がくがくした。最初に都築の顔を見たときとは正反対の理由で泣けてきそうになった。

おっさんはあてにできなくなった。

オレ、今度こそ本当に独りぼっちだ。

実際問題として、もう打つ手はない。あとはただ待つだけだ。ガラが現れるのを？　誰かまったく新しい未知の人物が情報をくれるのを？

大学へ行って授業を受け、シフトどおりにクマーへ出勤して、ドラッグ情報の監視をする。カナメには迷惑をかけたお詫びにマフラーをプレゼントした。すごく喜んでくれた。

孝太郎は日常に戻った。ネットで発信することもやめてしまった。どうせ同じ質問を繰り返すだけなんだから、無駄だ。

二月に入り、節分が来て立春が過ぎた。暦の上では春だ。

森永は戻らない。失踪事件としての捜査が進んでいるのかどうかも判然としない。

ガラは現れない。朝起きたら、孝太郎の部屋の窓ガラスにでっかい手形が残っていたなんてことも起こらない。

あれは悪い夢だった。幻覚だった。都築の言うとおり、そう思ってしまう方が正解なのかもしれない。

おっさんから預かったというか、取り上げたお茶筒ビルの通用口の鍵は、リュックのポケットのなかに入れっぱなしだ。そういえば都築は、この鍵のことさえ孝太郎に尋ねなかった。

テレビのニュースは、まだ連続切断魔の報道を続けている。こちらもこちらで同じネタの繰り返しだし、少しずつ熱が冷めている。惰性で続けているだけなんだろう。もっと大きな事件、あるいは先が見える事件が起きたら、そっちに乗り換えるんだろう。

西武新宿線沿線のホームレスの失踪と、西新宿の猪野幸三郎《こうざぶろう》老人の失踪は、ニュースにさえなっていない。

あれは悪い夢だった。幻覚だった。

オレもそう思おう。長いものには巻かれよう。流れに逆らうものじゃない。諦めかける。その方が楽だ、と。だけど、孝太郎のなかの小さくて硬い芯《しん》のようなものが、そのたびに心の底で抵抗する。その抵抗を、孝太郎は押し潰《つぶ》せない。

建国記念日の連休の前、週末の午後の授業が休講になった。クマーのシフトは十八時からだ。

それでふと、その気になった。もう一度、真菜ちゃんに会いに行こうか。

緘黙児《かんもくじ》の真菜は、あのとき、孝太郎にだけはしゃべってくれた。

――かいぶつ。

――おそら。

あれからどうしているだろう。あの子に会って、元気でいるとわかったなら、よし、そこでオレも自分の気持ちにケリをつけよう。

どうせなら、あれがきっかけで、真菜ちゃんが緘黙状態を抜け出してくれていたらいい。ケロケロ笑ったりしてくれたら、胸を覆《おお》う霧も晴れようというものだ。

不作法かもしれないが、事前に連絡せずに、新宿御苑《ぎよえん》そばの長崎《ながさき》邸を訪ねた。インターフォン越しに名乗ると、すぐに初子《はつこ》がドアを開けて出てきた。

「このあいだの学生さんね」

どうぞ入って入ってと急《せ》かせる。

「よかったわ。こっちからお願いして来てもらうのも大げさだし、どうしたもんかって、兄と悩んでたのよ」

「何かあったんですか?」

「何もないから悩みなのよ」

真菜は依然、緘黙のままだという。

「児童心理学の先生にも相談してみたんですけどね。こういうケースは急によくなるものじゃないって。だから急いじゃいけないんだけど」

ただ、真菜がこの家に来て一度だけ、孝太郎にだけ口をきいたことを話すと、

「できるなら、その人に協力してもらった方がいいってアドバイスされたのよ。だけどねえ、あなたは何の専門家でもない学生さんでしょ？　うちと縁があるわけでもなし、踏ん切りがつかなくて」

次善の策として〈光の家〉の大場《おおば》の意見を聞いたら、

——ただの学生を頼っても、お互いにいいことはないんじゃありませんか。

極めて常識的な助言をされてしまったので、長崎兄妹《きょうだい》は悩んでいたというわけである。

「真菜ちゃん、今は一人なの。またお絵かきしてます」

あの日と同じように、長い廊下をパタパタ進む。

「兄は今、佐藤先生と一緒に、あの子のお父さんに会いに行ってるのよ」

真菜と父親を引き合わせる段取りをしているのだという。

「パパさんの方は、相変わらず腰が引けててね。兄がいくら言っても詮無《せんな》いから、佐藤先生に説得してもらおうと思って」

子供部屋のドアは開いていた。今日も日差しが溢《あふ》れている。初子が陽気に声をかけ

た。

「真菜ちゃん、このあいだのお兄ちゃんがまた来てくれたのよ。覚えてるでしょ?」

真菜は小さな丸テーブルに向かい、スケッチブックを前に、散らばったクレヨンに囲まれていた。初めて会ったときとほとんど同じ光景だ。

違うのは、真菜の服装。そして彼女が、孝太郎が部屋に入っていっただけでクレヨンを持つ手を止め、目を上げてこちらを仰いだことだ。

初子が顔を寄せてきて、孝太郎の耳元に囁いた。「あなたに会って以来、あのおかしな鳥の絵は描かなくなったの」

〈かいぶつ〉の絵だ。

「こんにちは、真菜ちゃん」

近づいて、丸テーブルを挟んで座り込む。スケッチブックを覗《のぞ》いてみると、そこには色とりどりのヒヨコの行進が描かれていた。すぐそばに絵本が広げてあり、似たような絵が見える。これをお手本に、真似て描いているのだろう。

「きれいなヒヨコだね」

真菜は孝太郎をじっと見つめて、こっくりとひとつうなずいた。

「うん」

初子が「まあ」と「ああ」の真ん中へんの声を発した。

真菜の瞳《ひとみ》。澄み切った黒目。この子はこの瞳でガラを見た。嵐《あらし》の夜、空からお茶筒ビルの屋上へ舞い降りてくるあの異形の女戦士を。

「あのかいぶつは、もう描かないの？」

真菜はまたこっくりした。「うん」

「そうだよね。いっぱい描いて、飽きちゃったよね」

この問いかけには、ほんの少し、真菜の目が泳いだ。

孝太郎は長崎初子を見上げた。「すみません、ちょっと真菜ちゃんと二人で話してもいいですか」

初子は飛び上がりそうになった。

「ええ、どうぞどうぞ。三時だから、おやつにしましょう。支度してきますね。真菜ちゃん、今日はプリンよ。大好きよね？」

孝太郎に手振りで忙《せわ》しなく（どうぞ続けて、話して、話してやって）と示してから、初子はパタパタ出ていった。

二人になると、孝太郎は尻《しり》をずらして真菜の隣に並んだ。真菜も心なしか頭を傾け、身を近づけてきた。

「あのね」

真菜のすべすべしたほっぺたに、孝太郎は息を潜めて囁きかけた。

「お兄ちゃんも、あのかいぶつを見たよ。かいぶつに会ってきた」

真菜がぱちりとまばたきした。小さな鼻孔から、かすかに息が漏れた。

くちびるが動く。さっき孝太郎がそうしたように、真菜も息を潜めて囁き、問いかけてきた。

「こわかった？」

とても親密な、内緒話の問いかけだった。

この子とオレは同じものに遭遇し、同じ感情を抱いた。だから通じ合うんだ。通じ合ってる。

「はじめは怖かった」

孝太郎がうなずきかけると、真菜もうなずき返す。

「ホントに空から舞い降りてきたからさ。大きな、真っ黒な翼でね」

真菜はうなずき続けている。孝太郎はその頰に軽く手を触れて、やめさせた。

「けどね、このかいぶつとはお話ができるんだ。お兄ちゃんはかいぶつとお話をしてきたんだよ」

こうやって——と、真菜の顔を指さし、それから自分の鼻の頭を指さし、

「今、真菜ちゃんとお話してるみたいに、かいぶつと話すことができたんだ。そしたらね、かいぶつは謝ってた」

相手は五歳の子だ。言い換えた方がいいか。

「かいぶつは、ごめんねって言ってた。真菜ちゃんを怖がらせてごめんねって」

真菜は目を伏せた。考えている。その下の眼球が透けて見えてしまいそうなほど薄い瞼《まぶた》と、微細な睫《まつげ》が震えている。

また少し、真菜が頭を寄せてきた。孝太郎も耳を近づける。

「かいぶつが、ママをつれてったの？」

驚きだ。

真菜がガラを目撃したとき、同じ部屋のなかで母親が死にかけていた。真菜の傍らには死が寄り添っていた。この子はその恐怖を、その暗い予兆を、空から舞い降りた常ならぬ存在と結びつけて理解していたのだ。あれがママを連れていった、と。

この母子《ははこ》は世間から切り離され、誰に助けてもらうこともできずに、二人きりで寄り添って暮らしていた。真菜は保育園にも幼稚園にも通っていなかったという。

だが、この子の母親は立派に育てていた。愛情を注いで、彼女に教えられることは

全《すべ》て教えていたのだ。真菜の心はちゃんと成長している。

ならば、どう答えよう。孝太郎は真菜の瞳を覗《のぞ》き込んだまま少し躊躇った。

「真菜ちゃんのママがいってしまったのは、あのかいぶつのせいじゃないよ」

母親は病気で亡くなった。森永や行方不明のホームレスたちとは違う。怪物——女戦士ガラが彼らに何をしたのかまだわからないけれど、真菜の母親の死に関わっていないことは確かだ。それだけは、孝太郎は責任を持って断言することができる。

「ママは、かいぶつに連れていかれたんじゃないよ」

五歳の女の子の瞼が動いて、孝太郎を見た。孝太郎はうなずいてみせた。

「あのかいぶつは、真菜ちゃんにも怖いことをしないよ。どこかへ連れていったりしない。真菜ちゃんはもう怖がらなくていいんだよ」

真菜は、ちっとも安心したようには見えなかった。むしろ、少し悲しそうになった。

「ママ、どこにいっちゃったの？」

さらに答え方の難しい質問だ。

「それは——」

小さな指が、孝太郎が初めて真菜と話したときと同じように、天井を指した。

「おそら？」

「どうしてそう思うの？」

「おじさんとおばさんが、ママはおそらにいるって」

長崎兄妹《きょうだい》のことだ。彼らがそう教えているのだ。

「オオバのおじさんも」

真菜はただしゃべらなかっただけで、周囲の出来事や人物についてはちゃんと理解している。

「そうだね。おそらだ。けど、あのかいぶつが来たのとは違うところだ。おそらは広いんだからね」

一瞬、孝太郎は自分でも不審に思った。女戦士ガラがやってきたという〈言葉という精霊《すだま》の生まれ出《いず》る領域《リージョン》〉は、孝太郎たちにとっての〈あの世〉ではないと断言していいのか。

だって、あの世のことなど誰も知らない。死後の世界のことなど誰も知らない。

知っていると主張する人々はいる。私は行って見てきたと。だが、その主張のよりどころとなるのは言葉だけだ。死後の世界を存在させているのは、生きている人間の言葉。それが〈言葉という精霊の生まれ出る領域〉の意味ではないか。

いや、それだと順番が逆になってしまうか。死後の世界は生者の言葉で生まれるのであって、そこから言葉が生まれ出るのではないのだから。

だけど、あんなふうに人間を大鎌《おおがま》の刃《やいば》のなかに閉じ込める——あるいは封じ込めることができるのは、ガラが人間の身体ではなく、魂を操ることができるからではないか。そして魂が肉体を離れて存在することができる場所は、死後の世界なのではないか。

「ママ、かえってきてくれる？」

真菜の問いかけに、孝太郎は大きく両目を瞠《みは》った。そうしないと、この問いから逃げるために目を逸らしてしまいそうになる。

「——おにいちゃんにはわからない」

意気地なしの答えだ。正直だという以上の価値はない答えだ。

「でも、わかったら、真菜ちゃんに教えてあげる。約束するよ」

孝太郎が右手の小指を差し出すと、すぐに真菜も応じた。細くて小さくて、ほの温かい指切りをした。

ドアのところで気配がした。振り返ると、カップや皿を載せた盆を両手に、長崎初子が首を伸ばしてこちらを覗き込んでいた。

「入っていいかしら」

孝太郎は真菜に笑いかけた。「ほら、おやつだって」

真菜は孝太郎から初子の方に目を向けて、ぱちりと一度、まばたきをした。

そして言った。「プリン」

途端に、初子が泣き出した。

あとになって、孝太郎は気がついた。指切りをしたのは生まれて初めてだ。子供のときだってやったことはない。男の子はみんなそんなもんかな。それとも、うちの親がそういうしきたりとか、おまじないみたいなものに淡泊だったのかな。

——わかったら、教えてあげる。

約束しちゃった。

オレはやっぱり、もう一度ガラに会わなければならない。おまえはどこから来たのか。おまえの〈領域〉《リージョン》とやらはどんな世界なのか。それは異次元の世界だったり、パラレルワールドだったりするのか。そのなかには死後の世界もあるのか。

そして、〈輪〉《サークル》とはいったい何なんだ。

3

一般教養の講義が終わり、他の学生たちに混じって廊下へ出ようと歩き出すと、階段教室のいちばん後ろの列に座っている女の子と目が合った。

一瞬だけ、芦谷要かと思った。色白の顔。長い黒髪をポニーテールにしている。ぱっと見た感じが似ていた。

でも違った。カナメはいつも前髪を下げて、眉毛《まゆげ》が隠れるくらいの長さに切り揃えている。実は少しおでこが出っ張っているのを気にしているからだ。

件《くだん》の女の子は前髪を上げて、すっかり額を見せていた。カナメは絶対にこんなことをしない。孝太郎はまばたきして視線を逸《そ》らした。

この講義は学生の数が多い。みんながいっぺんに外へ出ようとするものだから、満員の映画館や劇場の入れ替え時と同じで、通路でぞろぞろ列を成すことになる。

ぼやっとまわりを見ていたら、またあの女の子と目が合った。同じ席に座ったままだ。

さっきよりは意識的に、孝太郎は視線を他所《よそ》に向けた。

で、横目で女の子の様子を覗《うかが》った。彼女はぴくりともしない。その視線が感じられた。真《ま》っ直《す》ぐ孝太郎を見つめている。

今度は足元に目を落とし、かなりくたびれた自分のスニーカーと、すぐ前にいる男子学生の踵《かかと》を踏みつぶされたスニーカーを見比べた。孝太郎のはナイキで、彼のはアディダスだ。孝太郎のはスニーカー専用洗剤で洗っているが、彼のは一度も洗ったことがなさそうだ。もっとも、孝太郎も自分で洗うわけではない。母・麻子が洗ってくれるのだ。我が家の玄関を汚染するとんでもない悪臭の発生源になるから放っておけない、と。

二足のスニーカーについて充分に考察を終えるころ、やっと孝太郎も最後列までたどり着いた。そこで顔を上げた。

女の子が座っていた席は空になっていた。

何てことなかった。見つめられてるなんて、自意識過剰だったか。

階段教室のある棟から、キャンパスの中庭に出る。今日は日差しが温かい。この庭の端にはこぢんまりとした梅林があって、満開になるととてもきれいなのだそうだ。今年は寒かったので梅の開花が遅れ、今はまだつぼみが緩んだ程度だ。

次の講義は三十分後の開始で、科学史のガイダンスである。これも一般教養の内で、自由に選択できる科目のひとつだった。興味があったから採ったのだけれど、授業は書店で手に入る科学史の入門書を読むというだけで、退屈そのものだった。出席をとられることもない。いいや、フケちゃってクマーへ行こう。その前に売店でパンでも買って——

「〈輪〉《サークル》に興味があるの？」

突然、背後から声がかかった。孝太郎はちょうど梅林の脇にさしかかったところだった。ここを抜けると、売店と学食と図書館のある総合棟に出る。

振り返ると、さっきの女の子が立っていた。一メートルほどしか離れていない。

それでも、孝太郎は一応きょろきょろした。キミ、ボクに話しかけてるの？

「どうして〈輪〉のことを知りたいの？」

孝太郎の顔を正面から見つめたまま、女の子はさらに問うた。そして一歩近づいてきた。

孝太郎も一歩分だけ後ろに下がった。急にどぎまぎしてきてしまった。

間近に見ると、女の子は美形だった。カナメもきれいだけれど、この子はきれいの種類が違うというか、カナメのタイプの女の子を磨き上げ、そこに何か——今はまだ孝太郎には思いつくことのできない何かのエッセンスを加えると、この容貌《ようぼう》になる。

カナメには悪いけど、そんな気がした。

「ぼ、僕に訊いてるの？」

孝太郎が自分の鼻の頭を指さしてみせると、女の子は短く笑った。こちらのどんな警戒心や猜疑心《さいぎしん》をも軽やかに吹き飛ばしてしまうような、春風のような笑い声。

「だって、〈輪〉について教えてくださいって、あんなに熱心に書き込んでたのはあなたでしょう？」

孝太郎の心臓はどぎまぎモードからどきどきモードになった。

「検索してて、見つけたの」

くちびるの端に笑みを残したまま、女の子はあっさりと一メートルの距離を詰め、孝太郎に並んだ。頭ひとつ背が小さい。身体つきも華奢《きやしや》だ。

美少女だ。そう、この子は孝太郎たち大学生の言う〈女の子〉よりも年少だ。正しく辞書的な意味での〈少女〉じゃないか。

「君、ここの学生じゃないね」

どう見たってまだ高校生。それも一年生――四月がきて二年生になるくらいの感じだ。

「うん」と、美少女はあっさり認めた。「大学のキャンパスって広いのね」

ジーンズにパーカー、だぶだぶのフェイクの革ジャン。底が厚い、これまたフェイクの革のブーツ。フェイクに決まってる。かなりの年代物でいい感じに古色を帯びているから、本物だったら目の玉が飛び出すような値段のはずだ。

「何してるの？　学校見学には時期外れだよね」

「あなたに会いに来たのよ」

「僕に？　君が？　一人で？」

すると、美少女は何が可笑《おか》しいのか、くすぐったそうに首をすくめた。

「ええ、一人よ。仲間と一緒だと、あなたを驚かせ過ぎちゃうと思ったから」

仲間？　その言葉が内包するところのあらゆる可能性を孝太郎が吟味する前に、

「遊び仲間とか悪い仲間じゃないよ。友達でもない。わかりやすく言うなら〈同業者〉」

もっとわからない。

そのとき、孝太郎は気がついた。女の子が首にかけているペンダント。しっかりした銀のチェーンについているトップが、風変わりな形をしている。何かとんがってて——

牙《きば》だ。ほかのものには見えない。動物の鋭い牙だ。

やっぱこの子、暴走族とかチーマーとかじゃないのか。

孝太郎の視線を追ったのか、彼女はそのペンダントトップに軽く指を触れた。

「これはわたしのお守り」

「あんまり、女の子らしくないね」

「わたし、普通の女の子じゃないから」

ケロッとして言う。孝太郎の心臓のどきどきモードは、不穏な不整脈モードに移行しそうになってきた。

「ぼ、僕」

後ずさりしかけるところを、軽く腕に触れられた——と思ったら、これまた女の子らしくない力で摑まれた。うわ！　この子、鍛えてる。

「どんな人なのか、会って確かめた方がいいと思ったから来たんだけど、正解だった。あなた、別の〈領域《リージョン》〉の存在に接触したのね」

孝太郎は動けなくなった。美少女はつと顔を近づけてきて、孝太郎の瞳を覗き込んだ。それはたぶん、孝太郎が真菜にしたのと同じ仕草で、ただ、孝太郎が真菜にしたときにはあったはずの優しさは欠いている。かわりに、強い好奇心と危機感みたいなものが、その眼差《まなざ》しから伝わってきた。

「わたしは〈輪〉のことも、〈領域〉という言葉の意味も知ってる。だから、やたらに知りたがってはいけない事柄だってわかってる。それを知りたがるあなたは、もしかしたら危険な存在なのかもしれないし、あなた自身が危険な目に遭いそうになっているのかもしれない」

ひと息に、滑らかに言う。声はあくまでも甘く、女子高生らしいトーンだ。

「わたしはあなたを助けられるかもしれないし、あなたを退治しなくてはならないかもしれない。どっちか見極めるために、質問しているの。あなたはなぜ〈輪〉についての知識を求めているの？ あなたは、別の〈領域〉のどんな存在に接触したの？」

情けないことに、孝太郎は震えていた。

「と、ともかく」

「ともかく？」

「立ち話も何だから、お茶でも飲まない？」

幸い、カフェテリアは空《す》いていた。

「ここ、素敵ね」

外観はガラス張りで、ロールアップ式の日除《ひよ》けが半分だけ下がっている。窓際《まどぎわ》の丸テーブルで向き合い、チョコレートカプチーノという孝太郎には「ゲッ」というほど甘い飲み物を前にして、美少女はご満悦だった。

「大学生になると、授業の合間はこんな素敵なカフェテリアですごせるんだ。いいなあ」

そんなことを言う口調と表情は、普通の女子高生そのものだった。

席に落ち着くと、美少女は背中のボディバッグから自分の学生証を取り出して見せてくれた。やっぱり一年生だ。で、都内の名門校だ。頭のデキが孝太郎より二ランクぐらい上でないと、この高校には行かれない。

森崎友理子《もりさきゆりこ》。それが彼女のフルネームだ。

「三島孝太郎君」

友理子は、孝太郎の学生証を見て、声に出して読みあげた。〈あなた〉にしろ〈君付け〉にしろ、この娘《こ》、ちょっと上から目線気味である。

「君は友理子ちゃん」

孝太郎はわざと、子供の機嫌を取るような呼び方をしてみせた。

「友達にはユリちゃんって呼ばれてるの？」

「ううん。〈森崎さん〉」

にこりともしない。

「でも、同業者はわたしを〈ユーリ〉って呼ぶ。それがわたしの通り名だし、わたしの本質を表す真の名前でもあるから」

もしかするとこの美少女は、いわゆる不思議ちゃんなのかもしれない。孝太郎は背中のあたりがぞわりとした。ネットでやたらと質問を発したことで、オレ、まともに関わるとけっこう厄介な種類の浮き世離れしたタイプの関心を引いてしまったのかもしれない。

「三島君」

森崎友理子は小首をかしげる。

「わたしが奇人変人の類《たぐ》いじゃないかと疑う以前に、もっと疑問に思うべきことがあると思うんだけど」

「ど、どんな？」

「わたし、ネットを検索していてあなたの質問を見つけたの」

「そう言ってたね」

「それ、おかしいと思わない？」

この美形、このファッション、この雰囲気。森崎友理子は人目を引く。客はまばらなカフェテリアなのに、あちこちから視線が飛んでくるのを、孝太郎は感じた。今、二人のテーブルの脇《わき》を通り過ぎた男子学生なんか、露骨に友理子の顔を覗《のぞ》き込んでいった。

「おかしいって、どういう意味？」

「わたしがいきなりあなたに会いに来て、こうしてここに座っていること」

双眸《そうぼう》がひたと孝太郎を見つめた。大きな目ではない。つぶらな瞳だ。

「わたし、ハッカーじゃないわよ。どっちかっていったらネットは得意じゃない。あなたのハンドルネームとアドレスから、現実のあなたを探し出すなんて芸当はできない」

孝太郎はかなり努力して、余裕の笑みを浮かべてみせた。「じゃ、君のお兄さんやお父さんがハッカーなのかもしれないね。あるいはボーイフレンドが」

孝太郎を見つめたまま、友理子は口元だけでかすかに微笑《ほほえ》んだ。

「論理的な人って好きよ」

「そりゃどうも」

さっきの男子学生がまた戻ってきた。スマホを耳に当て、わざとらしく大声でしゃべりながら通り過ぎてゆく。茶髪にピアス。背中に大きな迷彩色のリュック。

「でも残念ながら、わたしの父も母もハッカーじゃない。兄は——」

なぜかそこでつと瞳を動かし、間を置いた。

「兄はいたけど、もうこの世にはいない」

孝太郎はどきりとした。「ご、ごめん」

「いいの。兄さんは死んだわけじゃない。ただ、この世にはいないというだけだから」

——ユリちゃん、悪いけど君、やっぱオレの定義では重度の不思議ちゃんだよ。

孝太郎はお冷やを一口飲んだ。と、後ろの方から、かすかだけれど聞き間違いようのないシャッター音が聞こえてきた。パッと振り返ると、さっきの男子学生が、にやにや笑いながら友理子にスマホを向けている。彼一人ではなく、似たような顔つきの似たようなファッションの似たようなニヤけ顔と一緒だ。

「おい、勝手に撮るな」

椅子から立ち上がりながら、孝太郎は声をあげた。

スマホ野郎はさらにニヤけて、二度、三度とシャッター音を響かせる。相方の方は孝太郎にガンを飛ばしてきた。

「いいのよ」

友理子の指が、孝太郎の手首に軽く触れていた。

「気にしないで。わたし、写らないから」

孝太郎が目を剝《む》いたからだろう。彼女はにっこりした。

「そんなにビビらないでよ。別にわたし、幽霊じゃない。ただ、今はああいうものに写らないようにバリアを張ってあるってだけ」

これ以上は目を剝くことができないし、ほかにどうしようもないので、孝太郎は席に腰をおろした。

「三島君は、ルールを守らない人間が嫌いなのね」

優しい口調で、友理子は言った。

「些細《ささい》なことでも、曲がったことが嫌いなのね。わたしの兄さんもそうだった」

孝太郎が引き下がったのか、スマホ野郎と相方は図々《ずうずう》しく近づいてきた。

「ねえ、カノジョ。何してんの」

「ヒマだったら僕らのサークルに遊びに来ない？」

相方は、男性用コロンの匂《にお》いをぷんぷんさせている。

「コンピュータ・コミュニケーションのサークルなんだ。面白いよ」

ニヤけっぱなしだったスマホ野郎が、画面をいじりながら変な顔をしている。何だよ、と小声で呟《つぶや》いた。

「おい、写ってねえ」

相方にスマホを見せる。画面を覗き込んだ相方も顔をしかめた。

「おまえ、写メもちゃんと撮れないのかよ」

「違うって」

そのとき、にこやかな表情のまま二人のやりとりを眺めていた友理子が、素早く口元を動かして、何か囁《ささや》いた。孝太郎に言ったのではない。二人組に言ったのでもない。

「何だよ、引っ張るなよ」

スマホの相方が、突然尖《とが》った声を出した。彼は大型のショルダーバッグを斜めがけにして、どっしりとふくらんだ鞄《かばん》の部分を背中に回している。確かに、その肩掛けが後ろに引っ張られている。

スマホ野郎がぎょっとして叫んだ。「わ！」

孝太郎も見た。スマホの相方の鞄が、彼の背中側で宙に浮いている。まるで勝手に彼から離れて逃げだそうとしているかのようだ。で、持ち主を後ろに引っ張っているのである。ちょうど、散歩中に飼い主の意向と違う場所に行きたがる頑固な犬のように。

カフェテリアに散らばっていた学生たちから、驚きの声があがった。窓の向こうでも、足を止めて見ている者がいる。

「何だよ、それ！」

スマホ野郎の叫びに、相方がうしろへ首をよじった。腕があがって両脇が空《あ》いた。

瞬間、鞄の肩掛け部分がふわりと持ち上がり、持ち主の腕をすり抜けて身体から離れた。

そのままカフェテリアの床に落ち——なかった。鞄は宙を飛んだ。それ自体に意志と運動能力があるか、あるいは見えない手に摑《つか》まれて遠くへ投げ捨てられたかのように、優にテーブル五つ分の距離を飛んで、出入口近くの冷水器の脇にまで飛んでいって、どさりと落ちた。

「何しやがんだよ！」

スマホ野郎の相方は一気にキレて、孝太郎に向かってきた。そこへ、スマホ野郎が出し抜けに体当たりを喰らわせた。二人は折り重なってカフェテリアの床に転がった。

「いてぇ！」

「オレじゃねえ、オレじゃねえ！」

「バカ言ってんじゃねえよ、どけ！」

「だからオレじゃねえって！　何かに押されてる！」

スマホ野郎が背負っている迷彩色のリュックも、これまた重そうに膨らんでいる。そのリュックが背中でスマホ野郎を圧《お》しているのだ。ぽんぽん跳ねている。と思ったら、今度はリュックの左右の肩掛け部分が持ち上がって、ぐいぐいとスマホ野郎を引っ張り始めた。先に飛んでいった相方のショルダーバッグのところまで行こうとしている。と、ショルダーバッグもまた動き出した。生きものみたいに、また は内部に生きものが潜んでいるみたいに、素早く起き直って底の部分を床に付け、輪になった肩掛けを舞いあげるほどのスピードで、カフェテリアの外へ出ていってしまう。

それを追うように、リュックも移動する。わあわあ喚《わめ》いている持ち主を引きずって。何だよ何だよと叫びながら、半泣きの相方もあとに続く。

カフェテリアの客たちは、孝太郎を含めてほぼ全員が立ち上がっていた。一人、森崎友理子を除いて。

チョコレートカプチーノのカップをソーサーに戻して、友理子は孝太郎に言った。

「行っちゃったね」

「あいつら、どこまで行くんだろ」

「何かにぶつかれば止まるよ」

澄まし顔で、友理子も席を立った。「みんながあっちを見てるうちに出ちゃおうよ。ね？」

孝太郎に異論はない。反対側の出入口から、二人でそそくさとカフェテリアを出た。

「どこか静かに話せる場所はない？」

キャンパスを出て道を渡ると都立図書館があり、その周辺は大きな公園と災害時の指定避難場所になっている。孝太郎はそちらに足を向けた。つい小走りになってしまう。

「そんなに急がなくても大丈夫よ」

「君、何したの？」

「ちょっとした手品」

小柄な友理子は、孝太郎の早足にちゃんとついてくる。

「あんなことが起こる前、何か囁いてたろ。何かこう――呪文《じゅもん》を唱えたみたいだった」

友理子は、不自然でない程度に整えた形のいい眉毛を持ち上げた。

「三島君って観察力が鋭いんだね」

ってことは、それで正解なのか。あるのかよ、そんなこと。

公園に入って遊歩道を進み、最初に見つけたベンチのそばで、孝太郎はようやく足を緩めた。息が切れている。

「このくらいの早足ではあはあいっちゃうなんて、パソコンばっかりしてて運動不足なんじゃない？」

「この息切れは精神的動揺のせいだよ」

「あらまあ。じゃあ座って落ち着いて」

友理子の方がとっとと先に座り、慣れた感じで脚を組んだ。

「ああいうの、初めて見たのね。あなたが出会った存在は、呪文は使わなかったんだ」

孝太郎はまだ息が荒くて、立ったまま友理子を見おろしていた。

「さっき、何をやったんだよ」

ぶかぶかの革ジャンの下で、友理子は軽く肩をすくめた。

「彼らのショルダーバッグとリュックのなかに入っていた本たちの力を借りたの」

へ？

「あの本たち、だいぶ前から、彼らにないがしろにされて腹を立ててたみたい」

わけがわからない。

「書物には力があるのよ。基礎的な力は共通しているし、書物の内容によっては固有の力も備えている」

孝太郎はさらに「へ？」だ。

「彼らが持っていたのは自然科学系の本だった。初歩的な教科書か、参考書でしょうね。だから、素朴な〈ものを動かす〉力が発揮されて、ああいうことになった」

ショルダーバッグとリュックが逃げ出した。

「あのタイプの大学生の鞄に入ってる書物なら、子供か赤ん坊に決まってるし」

「ちょ、ちょっと待った」

友理子は待ってくれない。木立の向こうに見えている都立図書館のガラス張りの建物に目を投げて、

「あそこにも赤ん坊と子供がいっぱいだけど、長老が一人いるわ。帰りに挨拶《あいさつ》して行こうかな」

頭がくらくらしてきた。孝太郎はベンチに手をつき、やっと腰掛けた。

「〈言葉という精霊《すだま》の生まれ出《いず》る領域《リージヨン》〉」

気楽なおしゃべりから口調を変えて、友理子は言った。

「あなたが出会ったのは、その領域から来た存在だった。そうよね？」

孝太郎は手で額を押さえた。「オレ、ネットにそんな質問も書いたっけ？」

「うん。〈すだま〉という読み仮名も振ってあった。精霊と書いてすだま。そう教わったの？」

「いや、耳で聞いただけだよ。質問を書き込むとき、辞書で調べたんだ。音だけじゃ意味がわからなかったから」

「三島君は真面目《まじめ》なのね」

有り難いお言葉です。

「あなたが会ったその存在は、人の形をしてた？」

素早く手をおろして、孝太郎は友理子の顔を見た。「何でそんなことを訊《き》くんだ？」

「わたしが知ってる〈言葉という精霊の生まれ出る領域〉の存在は、普通の人間とはかけ離れた外見をしているから」

孝太郎の喉《のど》がごくりと鳴った。

「あの領域の存在が本来の姿形のまま現れたなら、普通の人間の目には怪物に見える。恐ろしくて会話なんかできないわ。でも、三島君はそうじゃなかったみたいね」

自分では気づかないうちに、孝太郎は一度、二度とうなずいていた。

「――有翼人だった」

「背中に翼の生えた人間？」

「そう。で、巨人だった。身長が二メーター以上はあった。それで、それで」

美人だったと、孝太郎は言った。

友理子は笑わなかった。「そう。美しい女性の姿をしていたのね」

「戦士だって言ってた」

今度は友理子がゆっくりとうなずく。

「〈始源の大鐘楼〉を護《まも》る戦士だわ。彼女は間違いなく〈三之柱を守護する戦士〉だと言ったのね？」

「うん」

「一桁《ひとけた》の柱を護る戦士は位が高いの。よほどのことがない限り、柱のそばを離れない」

そして小さく呟いた。「――アッシュが心配してたとおりだわ」

依然、何が何だかわからない孝太郎だが、今の呟きのなかには固有名詞が混じっているように聞こえた。

「アッシュ？」

「わたしの同業者」

友理子は初めて、口元だけでなく目元から笑った。

「以前、わたしを助けてくれたことがある人。〈狼《おおかみ》〉としてのわたしの師匠でもある」

この娘《こ》に「ちょっと待って」と頼んでも無駄だということはわかった。

「オオカミね。それって動物の狼？　それとも〈大きな神様〉を縮めて言ってるの？」

友理子は意外そうな顔をした。「あとの方の解釈は初めて聞いた。三島君って面白い」

ほかの局面でなら、こんな美少女にウケたら嬉《うれ》しいけれど、今は無理だ。

「森崎友理子さん、オレに〈輪《サークル》〉という言葉の意味を教えてくれませんか」

「質問しているのはわたしの方よ。なぜそれを知りたいの？」

孝太郎はちょっとむかっ腹が立ってきた。

「あのナンパ野郎どもをやっつけたときみたいに、呪文を使ってみたら？　君、魔法使いなんだろ。魔法をかけて、オレにぺらぺらしゃべらせてみたら？」

友理子はかぶりを振った。「〈狼〉のなかには強い魔導士もいるけど、わたしは違う。わたしにできることは限られてるの。まだ新米だしね」

「へえ、そう」

「でも、あなたの物語を読むことはできる」

そして孝太郎を見た。目とか鼻とか特定の部位を見ているのではなく、孝太郎という存在の輪郭をなぞるように。

「ご両親と、妹さんが二人いる。双子？」

孝太郎のリアクションを待たず、まばたきして、また瞳を動かす。

「お年寄りも身近にいる。女の人。でもこの人は血縁者じゃなさそう。あ」

軽く右手をあげ、人差し指を立てて振ってみせる。

「訂正する。妹さんは一人ね。双子じゃない。で、その妹さんには仲良しの友達がいて、あなたもその子のことをよく知ってるという間柄なのね」

視線を動かしながら、独り言のように、

「導師みたいな人もいる。三島君に強い影響力を持ってる人。男女のペアで——この人たちはご夫婦か、恋人同士。それと、三島君がひどく心配してる人が一人。友達か先輩。あんまりよく読み取れないけど……お兄さんではないわね」

驚きに、孝太郎の舌は喉の奥に引っ込んでしまった。

森崎友理子の視線が止まった。何かに耳を澄ますような顔をして、目を細める。

「さっき言った女の子、妹さんの友達に、最近何か起こってない？」

　孝太郎はまだしゃべれない。ただ目を瞠《みは》るばかりだ。

「真面目な話、何か嫌なことかおかしなことが起きてるでしょう」

「ど、ど、どう、どう」

「わたしは馬じゃないわよ。どうしてわかるのかって訊きたいの？」

　孝太郎はぎくしゃくうなずいた。

「あなたのリュックのなかに入ってる本が教えてくれてるの。とても心配してる。彼女のこと――ミカちゃんのこと」

　美香のこと。

「それ、ミカちゃんの本ね？　彼女から借りたか、もらったか」

　孝太郎はリュックを引っ張り寄せると、ジッパーを開けた。ごたごたと何でも詰め込んである。リュックを逆さまにして中身を全部ぶちまけた。教科書やノートや辞書や何やかんやに混じって、薄い文庫本が一冊。

　そう、確かに園井美香の本だ。詳しく言うなら美香が買い、一美が彼女から借りて、三島家のリビングの本棚に置きっぱなしにしておいたのを、孝太郎が持ち出してきたのだ。

『太陽の世界　エジプト古代文明とピラミッドの謎《なぞ》』

暇つぶしに読むにはよさそうなタイトルではないか。

「ミカちゃんはそういうものに興味を持つ女の子なのね」

友理子の眼差しが優しくなった。

「彼女は読書家？」

孝太郎はやっとリアクションすることを思い出した。「うん。オレや一美――妹はぜんぜんだけど、美香は本が好きなんだ」

「三島君はそれ、読んだの？」

結局、持ち出してきただけで読んでいない。いつリュックに放り込んだのかも覚えていない。このところ、授業が退屈でも本を読む余裕はなかった。いろいろと考え事があったからだ。

「――この本が美香を心配してる？」

「とても、とても心配してる。この本は彼女が選んで、きちんと読み通した。だから彼女と通い合ってる。でも、そのせいだけじゃないみたい」

友理子は『太陽の世界』を手に取ろうとして、寸前でやめた。

「三島君が調べてみて。何か書き込まれているか、挟み込まれてるはず」

孝太郎は言われるままに文庫本を開いた。次々とページをめくっていく。まだきれいな本だ。書き込みなんかない。

友理子が焦《じ》れたように言う。「もっと注意深く調べて」

「そんなこと言ったって」

孝太郎は手を止めた。『太陽の世界』の本体とカバーの袖《そで》のあいだに、小さなメモが挟んである。淡いピンク色。ごく薄く、サイズも小さなメモだ。普通にめくっただけではわからない。

そこに、丸っこい文字が並んでいた。

〈ガクちゃんに手を出したら殺してやる〉

たっぷり十秒間、孝太郎はそのちっぽけなメモをつまんだまま固まっていた。

「授業中にお手紙をやりとりするために、女の子たちはこういうメモを使うわよね」

知ってる。中学でも高校でも、クラスの女子たちがやっていた。「握り潰《つぶ》しちゃダメよ」

友理子が素早く、孝太郎からメモを取り上げた。

今まさにそうしようと思ったのに。

「この本、ミカちゃんから借りたのね?」

「正確に言うと、ミカが一美に貸して、オレが又借りしてる」

「どっちにしろ、ミカちゃんはこんなものが挟まってるって知らなかったのよ。知ってたら、そのまま貸すわけがない。そうでしょ？」

そう思う。

「でも、これはミカちゃんのまわりで起きていることを警告する大事な証拠品よ。捨てたらいけない」

「だけど、もとに戻すなんて」

「もちろん、もとに戻せなんて言ってない。本が可哀相《かわいそう》だもの。三島君が保管しておけばいいじゃない」

孝太郎はなぜか弁解口調になった。「この件はもう片付いてるんだ」

軟式テニス部のガク先輩をめぐる騒動は終息した。一美もそう言っていた。嘘《うそ》みたいにさっぱり終わっちゃった、と。〈きらきらキティ〉も沈黙している。

「ガタガタしてたのは去年の暮れ——っていうか、オレが知ったのがその頃で、騒動そのものはもっと前から起きてたんだ。メモが挟まれたのは、きっとその頃だよ」

「本を借りたのはいつ？」

まるっきり覚えていない。このリュックの中身も、いつ点検したのか思い出せない。

「奥付《おくづけ》を見てみて」

孝太郎は何を言われたのかわからなかった。

「本のいちばん最後のページを見てみて。発行年月日が載ってる。その本、新刊本のようだから」

去年の十月二十五日の発行だ。

ほっとした。「ホラ、な？　美香は本を読むのが早いんだ。読み終えて一美に貸したのなら、きっと十一月の頭とか、遅くても中旬ぐらいだ。騒動はそのころがピークだったらしい。今はもう、平気だ」

「男子を巡るさや当てのようね」

「――うん」

「彼女たち、何年生？」

「妹は中二。四月から三年生。美香は二年生だ」

「そのくらいの女の子たちのやることだからって、甘く見ちゃいけない」

自分だって一美や美香と大して歳《とし》が違うわけでもないのに、妙に大人びた口調で友理子は言った。

「そのくらいの歳の女の子たちだからこそ、無分別に極端なことをやりかねないから」

「確かに、殺してやるってのはひどいな」

「言葉だけならひどくはないわ。問題は、この言葉のもとになってる〈物語〉の方よ」

いつの間にか、友理子は険しい表情になっている。昆虫観察が大好きな子供が、葉っぱの裏側に色鮮やかな毒虫を見つけたみたいに。

「物語？」

友理子の発言の意味はわかる。だが、言葉の選び方が孝太郎には訝《いぶか》しい。

「普通はそれ、〈動機〉とか〈理由〉とか言うべきじゃないか？」

「いいえ、〈物語〉よ」友理子はきっぱりと言い切った。「全《すべ》ては物語なの。わたしたち人間は物語を生み出しながら生きている。個々の人間が紡《つむ》ぐ物語のなかから、その人間の言葉も生まれてくる」

そっちも順番が逆だろう。まず言葉が先で、それから物語だろうがよ。

「わたしは今、三島君の物語を読んだの」

少し顔を寄せてきて、友理子は言った。

「三島君を取り巻いている物語の流れを読んだ。だからあなたの家族や親しい人のことがわかった」

「物語の流れ？」

「そう、エネルギーみたいなもの。でも、これって表現が難しくて」

困ったように、指でほっぺたを掻《か》く。その仕草は可愛《かわい》らしかった。

「手っ取り早く〈オーラ〉って言いたいところなんだけど、この言葉は乱用され過ぎていて、言った途端に胡散臭《うさんくさ》くなっちゃうの」

「うん、充分に胡散臭い」

「だけど、わたしの読みは当たってたでしょ？」

孝太郎は黙っていた。

ひとつ息をついて、森崎友理子はしみじみと彼の顔を眺め回した。

「あなたは賢明な人ね」

「な、何だよ」

「三島君は、今のわたしとのやりとりなんかより、もっと不思議で危険な体験をしたばかりなんでしょ？　だけど、だからといって理性のガードを全て取っ払ってしまってはいない。たいていの人は、そんなふうに慎重にはなれないものよ。たった一度の、いわゆる〈神秘体験〉だけで、現実の人生すべてを擲《なげう》ってしまう人は大勢いる。でも、あなたはそうしない。大きな謎を抱えて切実に解答を求めているけれど、目の前に投げ出された解答を吟味もせずに、丸呑《の》みにしたりはしない」

たぶん、褒められているんだろう。

「わたしは三島君が抱えている謎に答えてあげられる。だけど、できるだけ正確に、その解答があなたにとって正しいものになるようにするためには、もっと情報が要る。だから話してくれない？　あなたが有翼人の戦士と遭遇することになった経緯を、全部。始めから今までの出来事を、すっかり」

孝太郎は横目で友理子を見た。

「また〈読んで〉みたら？」

「わたしはあなたと同じ領域の存在だから、あなたの物語は読める。でも、あなたが別の領域の存在と接触したことで引き入れてしまった物語は読めないの。それが在《あ》ることはわかるし、あなたに纏《まと》いついていることも見えるけれど、内容までは読み取れない」

その方がいいのよ、という。

「領域の違う物語を不用意に読み取ると、混沌《こんとん》を生じさせてしまうから」

めまいを通り越して、頭が痛くなってきそうだ。

「三島君がひどく心配してる人も、きっと、違う領域と関わってるのね」

「読めるの？」

「これは普通の推測」

「バイト先の先輩なんだ。森永さんって」

「じゃ、その人はあなたと同じくらいの歳よね？　もう一人、もっと年上の――三島君から見たらおじいちゃんぐらいの人も、あなたの間近にいない？　この人の存在も、モリナガさんって人と同じように、他の領域の物語のなかに混じり込んでいるから、わたしにはよく読み取れないんだけれど」

都築のおっさんのことだ。

孝太郎はがくりとした。落胆したのではない。気が抜けて、心の膝《ひざ》をついた感じだ。

「長い話だよ」

前置きしてから、説明した。友理子はほとんど身動きもせずに聞き入っていた。ときどき関係者の名前を確認する。孝太郎もいちいち丁寧に答えた。

孝太郎が口を閉じると、友理子はなぜかまた都立図書館の方へ目をやった。外壁のガラスが西日を浴びて濃い黄色に輝いている。

「まず、最初に教えてあげる」

安心して――と、微笑した。

「森永さんは生きてる。今、わたしたちのいるこの領域から姿を消してるだけ。ほかの行方不明になっている人たちも同じよ」

「じゃ、戻ってこられるのか？」

「たぶん」

「確実じゃないの？」

「一〇〇パーセントとは言い切れない。彼らの意志もあるから」

「意志って何だよ」

孝太郎は思わず顔をしかめた。

「森永さんたちは、無理矢理さらわれて、ガラという女戦士の武器のなかに封じ込められているんじゃない、という意味。だから、一種の取引だね」

少なくともそう推測できる、という。

「頼りないなあ」

「仕方ないでしょう。〈始源の大鐘楼〉の守護戦士が関わっている事件なんて、わたしも初めてなんだもの。過去の例をもとに推測するしかないわ」

女子高生らしく、試験には過去問を参考にするってか。

「取引なら、森永さんたちは対価として何かもらえるのかな」

「でしょうね。というか、彼らが差し出したものがそのまま対価になる」

オレにわかるように言ってくれ。

「戦士ガラが集めているのは、おそらく、この領域に住む人間の〈願望〉よ」

あるいは〈渇望《かつぼう》〉。あるいは〈切望〉。

「ガラは、〈理由《わけ》あってこの〈領域《リージョン》〉で力を集めている〉って言ってた」

「その言葉に嘘はないわ」

願望は〈力〉だから、という。

「〈願望〉は、人間の持つ最も根源的な力。それと対《つい》を成す力が〈抑制〉。人間の心のなかでは、この二つが常に微妙なバランスを取り合っているの」

明快な断言に、孝太郎は異論がある。

「人間の持つ根源的な力って、願望なんかじゃないよ」

「じゃ、何だと思う？」

「愛情とか創造性とか」

「どちらも願望じゃない？　心を傾ける対象を欲する。何かを創《つく》りたいと欲する。願いでしょ。違う？」

「だって、無償の愛ってあるだろ」

「それは単に、愛を抱くことだけで愛したいという願望が満たされるから、対象からの対価を求めないというだけのこと」

そう――かなあ。

「けど、〈抑制〉ってのがそれと同じくらい大事なものだってのは」

「大事じゃない？　愛だって抑制なしに暴走したら怖いことになるんじゃない？　創造性だってそうよ。みんなが自分の創造性に歯止めをかけずに、何でも勝手に造ったり創ったりしたら、人間の社会は成り立たないわ」

「勝手につくるって」

「時々いるよね。自分で勝手にルールをつくる人」友理子はちょっと肩をすくめた。

「さっきのナンパ野郎もそう。可愛い女の子を見かけたら、断りなしに写真を撮っちゃう。それは礼儀に欠けているし、常識に反している。相手の感情をおもんばかっていない。だけど、俺はそれでいいんだというルール。俺がいいんだから、いいんだ」

「――そういうのまで〈創造〉に入るの？」

「そうよ。人が行うことは、全て創造」

孝太郎は口をつぐんだ。

「森永さんを始め、ガラの大鎌《おおがま》のなかに封じられている人たちも、それぞれに願望を抱いていたのよ。そしてそれを抑制しながら生きていた。でもその願望が強くて、抑制することに苦しんでいた。女戦士ガラは、そういう心の不均衡を抱えている人を見つけて、彼らの願望を集めているんだと思う」

「それがどうして取引になるんだよ」

「自分でバランスを取りきれずに苦しんでいる人の願望を取り去ってあげれば、彼らは一時的にしろ楽になれるんじゃない？」

だから、願望を差し出すことそのものが対価になり、取引が成立する、と。

「いくら楽になったって、あんな姿になっちゃったら――」

孝太郎は強く頭を振った。

「あんなになっちゃってもいいほどの苦しい願望って、どんな願望だっていうのさ」

「さまざまでしょうね。ホームレスの人たちの場合は、家族に会いたいとか、社会復帰したいとか、仕事が欲しいとか」

「森永さんは？　森永さんは家族も仕事も学校も友達もみんな持ってた」

「じゃ、それ以外に何か切実に欲しいものか、欲しいコトがあったんでしょう」

三島君が知らなかっただけよ、という。

「都築さんていうあなたの相棒のおっさんが、ガラに浄《きよ》められた後、人が変わっちゃったのも、それと同じ」

おっさんはどんな願望を奪われたんだ？

「引退した刑事さんなんだよね？」

「そう。今も面構《つらがま》えがいいっていうか」

「もっと仕事したかったのかも。まだ働ける。まだ社会の役に立てる。生きる目的が欲しい。私に事件を与えてくれ――」

確かに、都築のおっさんは一人で熱心にガーゴイル像の謎を追いかけていた。おっさんにとっては、あれが事件だったからだ。

孝太郎は寒気を覚えた。

「ガラはおっさんに、〈罪を集めすぎたな、老人〉って言ってた」

――おまえは、この領域の罪を漁《すなど》る者だな。

「罪を集める漁師として熟練し過ぎたから、漁を続けたいという願望から自由になれない。過去に集めた罪の重さ――いえ、この場合は手応《てごた》えというべきね。その手応えが忘れられない。そういう意味の言葉よ、きっと」

友理子は孝太郎を慰めるような顔をした。

「そんな顔をしなくても、時間が経《た》てば都築さんは元に戻るよ。心が生きていれば、また願望が芽生えてくるもの」

「だったら、何故《なぜ》おっさんは連れ去られなかったんだろう」

森永さんや、ほかの人たちと違って。

「そんなの、三島君にもわかってるんじゃない？」

危険だからよと、友理子は言った。

「一度にあなたたち二人を消してしまったら、さすがにまわりの人たちが騒ぎ出す可能性が高い。特に三島君、あなたは直接的に森永さんと結びついているもの」

「だからおっさんは骨抜きにするだけで置き去りにして」

「あなたのことは脅しつけただけで去った。それで充分だと思ったんでしょう」

友理子の口から言われると、なおさら情けない感じがする。

「ガラは謝ってたんでしょ？」

すまない、と何度も言っていた。

「それも正直な言葉だと思う。森永さんを案じているあなたたちに申し訳ないと思ったから、それ以上のことをせずに去ったのよ」

でも、やっぱり孝太郎はガラに見くびられていたって気がする。

「あのね、〈始源の大鐘楼〉を守護する戦士は、そもそも邪悪な存在ではないのよ。

手当たり次第に人狩りをするような悪者じゃない。それはわかってあげて」

何が悪くて何が悪くないのか、孝太郎にはまだ判断がつかない。理解することさえおぼつかない。

「ガラは、何のために力を集めているんだと思う？」

友理子はかぶりを振る。「そればっかりは、わたしにはわからない。ガラに訊いてみないとね」

でも、よほど切実なこと。

「おそらく、あの領域の安定に関わるほど大事な目的があるんだと思うわ。だからこそアッシュも心配してるんだし」

また、その〈狼〉の師匠の名前が出てきた。

友理子は孝太郎に微笑みかけてきた。

「さて、じゃあわたしの番ね」

友理子が三島君の質問に答える番だ。

「〈輪《サークル》〉とは何か」

孝太郎は思わず居住まいを正した。

「〈輪〉とは、この世界を包み込んでいる全ての物語が織りなしている世界のこと」

物語？

「世界はここにあるでしょ」

友理子は軽く両手を広げて空を仰いだ。

「宇宙もここにある。見えないけど、わたしたちは知識として知っている。科学が解明してくれたことだから」

だけど、わたしたちはその知識だけで生きているわけではない。

「人は、実在する事象のなかに存在しているけれど、それだけで生きられるものではない。事象を解釈し、そこに願望や想像を重ねて、初めて人間として生きることができる。その願望や想像が〈物語〉よ」

〈輪〉は、そういう物語の集積だ。

「世界に対する解釈の集積」

そして、物語は人の数だけ存在する。

「その結果、〈輪〉は実在する世界よりも、宇宙よりも広大になって」

多種多様な〈領域《リージョン》〉を、そのなかに内包している。

「わたしたちがいるこの現実、これも〈領域〉。わたしたちがいるこの国、これも〈領域〉。〈領域〉という言葉は、そういうふうに、広い意味でも狭い意味でも使われるの。人類を単位に考えるなら、地球全体がひとつの〈領域〉。ある民族や国家を単位に考えるなら、その民族集団や国家がひとつの〈領域〉。そこには、それを構成する人々が共通して保持している物語が存在するから」

「ち、ち、ち」

「ちょっと待った？」

「そう。ユリちゃん、君、間違ってる」

「どこがどう間違ってる？」

「ある民族集団や国家を構成する人びとが共通して保持しているものは、物語なんかじゃない。それは〈歴史〉だ」

友理子は余裕の笑みを浮かべた。「そうね。でも、歴史も物語よ」

「ンなわけあるかよ！」

歴史学者に失礼じゃないか。

「そうかしら。だけど、誰か過去に戻って確かめてきた人がいる？　研究でわかることは、あくまでも仮説よ。仮説は物語でしょう」

孝太郎は反問に詰まった。

「人文科学でも自然科学でも、科学者は『これですべて解明できた』『これは純度一

○○パーセントの真実です』とは言わない。だってそれは事実じゃないもの」

孝太郎は唖然《あぜん》として、滑舌よく語る年下の美少女を見つめる。

「常に前進しながら、最前線の〈わからないこと〉に直面している。それが科学であり、科学者の仕事でしょう。同時に、その〈わからないこと〉について様々な仮説を立てたり、推測をしたりする。それは創造なのよ。そして解明されるのではなく創造されることは、どれほど確度が高かろうと、物語なの」

優れた科学者は、その境界線を知っている。けっしてそこを曖昧《あいまい》にはしない。

「だけど、科学者ではない人びとにとっては、それはさして厳密なものじゃない。科学者たちだって、自分の専門外のことには、しばしば物語を優先して境界線を曖昧にする。だから物語はどんどん増え、ふくらんでいく」

それ自体は悪いことではない、という。

「物語はけっして悪いものではない。人間の希望や、生きる喜びそのものだから。あるいは慰めや救済だから。あるいは正義であり善意だから」

それでも――結果として物語が〈悪〉を呼び込むことがある。

「物語はそれほどに自在なものだから。人間の善意と同時に、人間の業《ごう》から生まれるものだからよ」

思わず、孝太郎は言った。「それって、宗教のことじゃねえの？」

友理子は明るい目でうなずいた。「宗教も物語よ。神も物語よ。人類が生み出した最大の物語」

「何か――場所によっては罪に問われそうな考え方だね」

「そうね。ひとつの物語を拠《よ》り所にして、それに同意しない他者を攻撃する。中世の異端審問や、あらゆる宗教の極端な原理主義者が引き起こす破壊的なテロ。あれはすべて物語の罪。物語が結果として悪意を呼び込んでしまったときに起こる現象」

言葉は平易だが、言ってることは凄《すさ》まじい。

「今、わたしがこうして語っていることも、物語のひとつ。世界の解釈のひとつ」

人間は、こうして世界を解釈することで生きている。だから〈輪〉は誕生し、拡大しながら存在し続けている。

友理子は急に顔を寄せてきた。「物語はどこから来るんだと思う？」

孝太郎はちょっと引いた。「そ、そんなの決まってるじゃないか。人間の頭のなかだ」

頭じゃなくて、心か。

「ううん、違う」

まったく躊躇《ためら》わずに、友理子は言った。

「全ての物語には源泉があるの。そこから来て、そこへ還《かえ》ってゆく」

その場所を〈無名《むめい》の地《ち》〉という。

「一対の巨大な〈咎《とが》の大輪《たいりん》〉が回っているところ。その大輪の回転が物語を繰り出し、巻き取る。全ての物語を循環させている始源の地」

孝太郎はただ呆《あき》れるばかりだ。

「な、何でそんなにはっきり言い切れるの」

「行って、見てきたから」

兄さんを助けたくて——と言った。

「お兄ちゃんはそこにいたから」

お兄ちゃん。初めてその呼び方をした。彼女の目の奥が翳《かげ》った。

「ト、トガの大輪って、咎めるのトガ？　罪ってこと？」

「そうよ。物語は人間が吐き出し、人間を喰う業だから」

「物語は悪いものじゃないって言ったばっかりじゃないか！」

「悪くはなくても業は業。罪は罪」

孝太郎は呆れ返った。めちゃくちゃだ。

「あのさ、ひとつ指摘していい?」

「どうぞ」

「君が言ってることも物語なら、その〈無名の地〉だって物語だよね。わかってる?」

「うん」

拍子抜けするぐらいあっさりと、友理子は認めた。

「〈無名の地〉もまた物語によって生まれた〈領域〉のひとつ。わたしもわかってる」

本当に確かなのは、〈輪〉の存在だけ。

「わたしたちが誰も、〈輪〉から逃れることはできないっていうことだけ」

逃れる必要もないと、小さく言い足した。

孝太郎は呼吸を整えた。こんな議論をしてたって、彼女のペースに巻き込まれるだけだ。もっと具体的なことを突っ込まなくちゃ。

「〈無名の地〉と〈始源の大鐘楼〉っていうのは、別の場所なのか?」

友理子は大きくうなずく。

「〈無名の地〉は物語の始源の地。〈始源の大鐘楼〉は――」

言葉の始源の地だ。

「言葉が生まれる領域よ」

このふたつの領域は対を成している。物語と言葉。言葉と物語。どちらが先で、どちらが後か、見極めることはできない。互いの尻尾《しっぽ》を呑み込み合う二匹の蛇のように繋《つな》がっている、という。

孝太郎は吹き出してしまった。「そんなの、言葉が先に決まってる!」

「どうして」

「言葉がなかったら、誰も物語を語れない」

「でも、言葉の始源についての語りは、物語でしょ。物語が先に存在してなかったら、誰も語れないわよね?」

孝太郎は口を開けたまま黙った。

しばらくして、やっと言った。「こういうのを、こんにゃく問答っていうんだよ」

森崎友理子は声をたてて笑い、ぽんぽんと手を打った。

「三島君て、ホント面白いね!」

笑い事じゃねえぞ、このガキ。いくら美少女だからって、鼻の下を伸ばして言いなりになる男ばっかじゃないんだからな。

「それに、さっきから黙って聞いてると、君、実在する国や場所と、作り話のなかの国や場所を一緒くたにしてるよな？」

〈無名の地〉だの〈始源の大鐘楼〉だの、どっちも作り話に決まってるんだから。

友理子は涼しい顔だ。「一緒だもの。どちらも〈領域《リージョン》〉」

「ンなバカな話があるかよ！」

「どうして？　片方は実在している。片方は存在しているけれど実在はしない。その違いがあるだけで、〈領域〉としては等価だと思わない？」

「思わないね」

「じゃ、たとえば『ナルニア国』は？」

美香が好きなファンタジー小説だ。映画を観《み》て感動したからと、原作の方も読んでいた。もっと感動したと言っていた。

「たくさんの人が、ナルニア国のことを知ってるよね？　あの国で起こった出来事や、あの国に住んでいる生きもののことを知ってる。それについて語って、心を傾けてる」

「でも実在してない」

「存在はしている」

「その差って、めちゃめちゃ大きいぞ」

「そうかしら。実在していないものには意味がないと言い切れる？　実在していないものは、わたしたち人間に何の影響も与えない？　人間という〈実在〉にとって、〈実在しない存在〉はただの気晴らしや暇つぶし？　好き勝手に消費するだけの幻だと切って捨ててしまっていいの？」

またこんにゃく問答じゃないか。

「いいえ、違う。それはわたしたちに影響を与える。稀《まれ》には、生身のわたしたちに関わってくることだってある」

だから、あなたはガラに出会った。真《ま》っ直《す》ぐな目をして、友理子はそう言った。

「ガラに出会って、混乱したのはよくわかる。無理もないことよ。でもあなたは、不思議な体験をしたって友達にしゃべって楽しんで終わりにするわけでもなく、おかしな幻覚を見たって自分を説得して沈黙するわけでもなく、ひたすら知りたがっている。もっと知りたがっている。もっと関わりたがっている。それが危険だと思うから、わたしはあなたに会いに来たの」

最初に、退治しなくちゃならないかも、とか言ってたよなあ。

「好奇心を持っちゃいけないのかよ」

「この場合は、いけない。大人げない」

「君に言われたくないなぁ」

友理子は笑わなかったし、孝太郎も笑わなかった。

「森永さんを取り返したいんだ」

「彼は死んではいない。進んでガラと取引したのだし、満足している。それでも？」

「森永さんの気持ちはわからない。君がそう言ってるだけだ」

「ほかのことでは、誰かがそう言ってるだけでも、ああそうですかって済ませてることがあるんじゃない？　いっぱいあるでしょ。この件もそうやって呑み込めない？」

──あれは悪い夢だってことにせんか。

都築の言葉が耳に蘇《よみがえ》った。

「三島君、大鎌のなかの森永さんと目が合ったって言ったよね」

「──そうだけど」

「そのとき彼、あなたに助けを求めた？　助けてくれ、ここから出してくれって」

「わからない。そんな余裕のある局面じゃなかった」

「ズルい答えだなあ」

確かに。だから孝太郎はうつむいて、地面に向かって呟《つぶや》いた。

「森永さんは、何をそんなに求めて、願っていたんだろ。ガラと取引するほどに」

「秘密だったんでしょう。本人しか知らないことよ」

「そんなでっかい秘密を抱えてるようには見えなかったよ」

「まわりの誰にも悟られないように隠していることを、〈秘密〉っていうんじゃない?」

一本とられてしまった。

「森永さんがどうしてるのか、ガラの目的が何なのか、オレがどうしてもどうしても知りたいと願ってたら、ガラはオレのところに現れるかな?」

友理子は肩を落としてため息をついた。

「つまりあなたは、そうやって、かんじきを履いて地雷原《じらいげん》を渡るようなことをやりたいわけなのね?」

孝太郎は笑ってしまったが、友理子は笑わなかった。

「三島君はさっき、わたしが現実と作り話を一緒くたにしてるって責めていた。でも、あなたが今言ってることだって同じよ。実在しないけれど存在している領域と、そこからやって来たガラという存在に、あなた、まともに取り合ってるじゃないの」

そのとおりだった。

「――〈狼〉って何なの?」

「質問を変えて矛先をそらすつもり？」

「質問に質問で答えてごまかすつもりか？」

友理子はマジでムッとしたらしい。孝太郎は頭を掻いた。

「ホントに知りたいから訊《き》いてるんだよ。何なの？　存在するけど実在しない領域に関わってしまった人間のこと？」

答える前に、友理子は少し考え込んだ。

「違う。そういう人間がみんな〈狼《おおかみ》〉になるわけじゃない」

また、言葉を選ぶように間を置いた。

「物語のなかにはね、あまりに力が強すぎて、それに触れた人間を根底から変えてしまうようなものがあるのよ。いい方に変えるか、悪い方に変えるか、それは時と場合による。ひとつの現象の裏表だから。ただ、悪い方に変わると、それによって大きな悲劇が引き起こされる」

戦が始まる――と言った。

「いくさ？　戦争か」

「人々が相争うこと。あるいは、ある側がある側を侵食し、虐《しいた》げようとすること」

諍《いさか》うこと、その全て。

「そういう危険な物語の根源は、物語の始源の〈無名の地〉に封印されているの。でも、この封印が破られることがある。封印がなされていても、根源から生まれた無数の枝葉の物語は、数多《あまた》の写本の形をとって、わたしたちの世界、この領域に、既にたくさん出回っているし」

〈狼〉はそれを狩るのだ、という。

「〈輪《サークル》〉のなかにある危険な物語、それを語る写本を狩るの。それがわたしたちの務め」

孝太郎が大仰に目を剝《む》いてみせたので、ようやく友理子は笑った。

「なぁに、その顔」

「そういうの、焚書《ふんしょ》というんだぞ。本を狩るなんて、表現の自由の侵害じゃないか」

「誰もそんなことやってないわよ。わたしたちはただ、危険な写本が存在するという知識を伝えて、可能な限り、人がそれに触れないようにしているだけ。もしも触れてしまい、染まってしまった人が現れたならば、あなたは取り憑《つ》かれているんだ、あなたはあなたの命を生きて、生きることによってあなたの物語を紡ごうとしているのではなく、取り憑かれた物語を生きようとしているだけなんだと知らせてあげる。そしてその人を、実在の側に呼び戻そうとする。ただ、それだけ。それだけしかできないの」

それも間に合わないことがある——と呟く。瞳の奥の翳《かげ》りが濃くなった。ほとんど闇《やみ》に近いほどに。

「〈無名の地〉と〈始源の大鐘楼〉はね、どちらもとても旧《ふる》い領域なの」

いつ誕生したのか見定めることができないほど旧い。

「誰か特定の〈紡ぐ者〉——作者がいるわけでもない。多くの人間たちの心のなかから生まれ出てきたもの。人間が、物語や言葉の起源はこんなふうじゃなかったのかと、漠然と思う。漠然と畏《おそ》れを抱く。その想《おも》いが生み出した領域よ」

歴史にならず、宗教にならず、神話にもならず、ただ誕生したときの姿のまま続いている。古《いにしえ》の時代から。

「素朴なたとえ話。それ以上でもそれ以下でもない。だから強い。危険ではないけれど、とても、とても強い」

孝太郎は顔を上げ、問いかけた。「そんなに旧い領域ならば、そこに死者もいる？死んだ人間がそこに行くことって、あるかな」

友理子は目をぱちくりさせた。「おかしな質問ね。物語と言葉の始源の地に、なぜ死者が行くと思うの？」

「あの黒い翼のせいで、ガラのこと、死神だと思ってる子がいるんだ」

孝太郎は真菜のことを打ち明けた。真菜の言葉を聞いて、自分が考えたことも正直に話した。

友理子は、話の途中で目を閉じてしまった。孝太郎が口をつぐむと、ゆっくりと目を開けて、優しく言った。「五歳の女の子に、母親の死を納得させるのは至難の業よね」

「……オレもそう思う」

「でも、あなたはちゃんと見極めている。〈死後の世界を存在させているのは、生きている人間の言葉〉。それは正しい判断よ」

「だったら？」

「その女の子に、あなたの言葉で、死後の世界について語ってあげて」

ママは星になったんだよ。ママは天国にいるよ。ママはいつでも真菜ちゃんを見ているよ。ママの姿は見えなくなってしまったけれど、今でも真菜ちゃんのそばにいるよ。

「どんなふうでもいい。あなたが心を込めて語るなら」

それこそが物語なのだと、友理子は言った。

「わたしね、〈狼〉になってから、こう思うようになったの。物語というものは、人間が〈死〉と対抗するために生み出したものなんだって」

その声音には力があった。

「たった一度しかない、限られた人生。理不尽だという意味においてのみ、万人に平等に訪れる死。その恐怖に打ち勝ち、喪失の悲しみを乗り越えて生きてゆくために、人間は物語を生み出した。語って、語って、世代から世代へと語り継いでいく。その内容は多種多様。個人的なことでも国の歴史でも、大きな物語でも小さな物語でも、価値は同じ」

それらの多くの物語のなかに、〈死後の世界〉という物語も在る。

「人は、死んだら終わりじゃない。次の人生がある。生まれ変わるかもしれないし、天上に昇るのかもしれない。とにかく終わりじゃない。我々の愛する者は、消えていなくなったわけじゃない。そう語る物語」

事実は違うと、友理子は声を強めた。

「死は完結した事象よ。死によってその人の生は終わる。生ある者は必ず死ぬ。そして死者はもうどこにも存在しないし、戻ってくることもない。でも、物語はその事実に抗することを語るの。その事実に逆らって、残された者を慰め、励まし、生き続けていくための光と希望を語るのよ」

それこそが、物語が存在するもっとも大きな、尊ぶべき意義と意味。人生が一度しかないことに抗《あらが》う、創造と想像の力だ。

「死に抗《こう》する。それはね、剝き出しの現実に向かってこう宣言すること」

我々は消え去りはしないぞ。

「そのために生み出された、もっとも優れた技。それが物語よ」

だから語ってあげてと、もう一度言った。

「あなたの言葉で、その子に語ってあげて。ママは天国にいるよ。ママは真菜ちゃんのそばにいるよ。何でもいい。三島君が望むように語ってあげて。そして、語って彼女を慰めたなら、その後《ご》を見守ってあげて。ずっと見守れないのならば、せめて祈ってあげて」

「な、何を？」

「その子が健やかに成長して、いつか自分で気づくことができるように。あのとき三島君が語ってくれたお話は、ホントじゃない。あれは物語だった。本当はママは死んでしまって、もういない。人が死ぬということは、とても辛《つら》いし悲しいし、いなくなって二度と戻ってこないということなんだって」

あの闇のような影を瞳《ひとみ》の奥に潜ませたまま、森崎友理子は孝太郎を見つめる。

「だけど、わたしにとっては、あのとき三島君が語ってくれた物語は真実だった。ママは今でもここにいる。わたしのこの胸のなかに。それでいいんだ。生きている者がそう想い、その想いを大切にする。死後の世界というのは、そういう形で存在するんだ——と考える大人に、彼女がなれるように」

「大人になったら、ちゃんと——見極めがつくように？」

友理子はうなずいた。「人は物語を紡ぎながら生きるのと同時に、物語から抜け出しながら生きてもいるの。抜け出しきれなくなると、今のあなたのようになる」

そして急にクスッと笑った。

「三島君って不思議ね。ちゃんとわかってるくせに、自分がわかってるってことをわかってないから混乱してるのよ。わかる？」

わかるか、そんなややっこしいこと。

「あなたがガラに会おうとすることは、五歳の女の子を慰め、力づけるための物語である死後の世界を、本当に探し出そうとすることと同じなのよ」

「だけどオレ、ガラにはいっぺん会った！」

「彼女は実在してない。存在しているだけ。あなたは実在しないけれど存在しているものに、たまたま遭遇しただけ」

友理子は手を伸ばして孝太郎の腕に触れた。

「そう、たまたま出会ってしまったの。あなたが悪いことをしたからではないし、あなたが特別な人間だからでもない。ただ、そういう巡り合わせだっただけなのよ」

そこから先に進んではいけない。

「そもそも、ガラが集めている強烈な願望——渇望は、あなたには縁のないものよ。縁がないことを喜ぶべきもの」

孝太郎は口を尖《とが》らせた。「オレだって欲しいものぐらいあるよ。コンプレックスだってあるし」

「そんなレベルの問題じゃない」

友理子の口調に、脅しつけるような響きが混じった。

「あなたは家を失ったことがない。死にそうなほど飢え渇いたこともない。人間としての尊厳を剝《は》ぎ取られたこともない」

「それってホームレスの人たちのことか？　だから彼らは、オレなんかにはわからない渇望を持ってたって？」

顔を近づけ、嚙《か》みつくように質《ただ》す孝太郎に、一転して目元をやわらげ、友理子は微笑《ほほえ》みかけてきた。「そう思わない？」

渾身《こんしん》のパンチが空振りしたみたいな感じで、孝太郎は口を開けたまま声を失った。

「そういうふうに想像することもできないほど、三島君は今、不幸せなのかな？」

「そんな……ことは……ないけど」

「じゃ、もっとドラマティックな渇望についてはどう？　誰かに復讐《ふくしゅう》したいとか、寿命を何年か引き替えにしてもいいほど欲しいものがあるとか」

ちょっと言葉を切り、軽くまばたきしてから、友理子は言い足した。

「死んでしまった人を生き返らせたいとか」

そのとき、すぐ隣に座っているこの美少女に、孝太郎は初めて怖いものを感じた。

発言内容が不穏だったからではない。死んでしまった人を生き返らせたい——と言ったときの彼女の目が、〈何か〉を見ているような目になっていたからだ。その〈何か〉とは、彼女の記憶。過去のどこかで見たことのある光景を、瞳の奥に蘇らせてもう一度見ている。そういう眼差《まなざ》し。

高校二年のとき、幼いころ夜火事で家が全焼し、妹を亡《な》くしたという女子と、ちょっと親密になった時期があった。その女子が、ときどきこういう目をした。ぜんぜん関係ない話をしているのに、並んで映画を観ているのに、マクドナルドでハンバーガーとポテトを買っているのに、突然、彼女がそういう目になると、孝太郎は凍るような気分になった。ああ、カノジョ思い出してる。今のこの状況の何が引き金になったのかわかんないけど、思い出してる。火事の夜に見たこと、聞いたこと、見なければならなかったことや聞かなければならなかったことを。

その繰り返しが辛くなって、半年で別れてしまった。美人でいい娘《こ》だったのに。

「――ユリちゃん、さ」

小声で呼びかけると、友理子はまたまばたきをしてから孝太郎に顔を向けた。さっきの眼差しは消えていた。そして孝太郎が言葉を続けるのを遮るように、ベンチから立ち上がった。

「とにかく、わたしの忠告はそういうこと」

自分の持ち場を守って、おとなしくしていなさい。

「あなたがバイトしてる会社は、例の連続切断魔の捜査に協力してないの？」

この娘にこの話題を持ち出されると、何か違和感がある。

「うちは警察の下部機関じゃないんだから」

「でも、ネット上の情報を監視するのが仕事でしょう」

「ほかにもいろいろやるべきことがあるんだ」

「じゃ、そっちに打ち込んで。よろしく」

孝太郎はふっと思いついた。「君たちこそ、あの手の犯罪者を狩らなくていいの？」

背を向けかけていた友理子が、ポニーテールを揺らして振り返った。

「どういう意味？」

「あれ、連続殺人者《シリアル・キラー》の仕業だよね？　犯人と被害者のあいだに利害の対立とか人間関係の軋轢《あつれき》があったわけじゃない。犯人の側に、一方的な欲望とか願望とかがあって、それをかなえるために、誰でもいいから殺してる。運悪く、犯人にとって都合のいいときに都合のいいポジションにいた人を殺してる」

それって、犯人が〈事件〉という物語を綴《つづ》ってるってことじゃないのか。

「犯人の頭のなかにだけ、つじつまが合って存在してる物語。ものすごく危険な物語。君たち〈狼〉が狩るべき対象じゃないの？」

今度は意図的にポニーテールを揺らして、友理子はかぶりを振った。

「確かにそのとおりだけど、あれは写本の影響じゃない。それに、物語が個人のものであるうちは、わたしたちにはどうすることもできない」

「やる気ないんだな」

「わたしたち〈狼〉について、三島君が理解してないだけよ」

鼻先で笑われた。

「〈狼〉が気にするべきは、連続切断魔が逮捕されてもされなくても、事件が終わった後に生じる物語の方。それが個を離れた物語として存在し続けるかどうか、時間による消耗と、そんなものを物語にしてたまるかという人々の知性や良識を凌駕《りょうが》するほど強い物語として定着してしまわないか、よく注意して見ていないとね」

言って、友理子はつと目を細めた。

「でも、単独犯であれ複数犯であれ、あの事件の犯人が、三島君の言うとおり、何らかの欲望に突き動かされていることは間違いないと思う」

「だろ？　サイコ野郎のサイコな欲望」

「だからあれは、〈狼〉よりはむしろ守護戦士ガラの獲物。ガラがその気になればそいつと、あるいはそいつらと取引して、事件を終息させることができるでしょうね」

それがいいことかどうかわからないけど、と言う。

「じゃあね、三島君」

友理子は手を振り、さっき入ってきた公園の出入口とは反対側に向かって歩き始めた。

「ち、ちょっと、道わかるのかよ」

近くに案内板があるかな。孝太郎がきょろきょろしているあいだに、友理子は視界から消えてしまった。あれ？　足、速すぎだ。そんなに速く、遠くに行けるか？　と思ったら。

「三島君、念押ししとく」

背後から呼びかけられて、孝太郎は文字通り跳び上がった。

「脅かすなよ！」

友理子は孝太郎から一メートルばかり離れたところに、腕組みをして立っている。

「ミカちゃんのこと、本当によく気をつけてあげてね。彼女を巻き込んでるトラブルは、まだ終わってないよ。安心しちゃ駄目」

「な、何で、わかるんだ、よ」

「ミカちゃんの本が心配してるから。言ったでしょ？　書物は力を持っているの。知恵を持っている。心も持ってるの」

約束したわよ――と、森崎友理子は孝太郎の顔に人差し指を突きつけた。

「ミカちゃんを守ってあげてね」

孝太郎は、がくがく振動するみたいにうなずいた。「わ、わかった」

友理子は再度、身を翻《ひるがえ》して孝太郎に背中を見せた。そして今度はごくまっとうに、当たり前に、普通の人間がするように、歩いて遠ざかっていった。

4

——自分の持ち場を守って、おとなしくしていなさい。

孝太郎は、その忠告に従うことにした。とるべき指針として、今はそれが妥当だと思ったからだ。

これまでの一連の出来事が、まだケリがついていないのならば、孝太郎が何もしなくたって、きっとまた動きが出てくるはずだ。森崎友理子という、あの変わった説教グセのある美少女が現れたみたいに。ケリがついているのなら、何も動かず時間が経過して、それっきりになるだろう。針がどっちに振れるのか、今は待とう。

新学期が始まるまでのあいだに、もう一度ずつ、都築の病室と、新宿御苑そばの長崎邸を訪ねた。都築はレントゲンを撮りに行っているとかで、病室には都築夫人がいた。あのおっさんにはもったいないくらい、身ぎれいにしていて感じのいい人だった。

「都築さんとはネット友達なんです」

「あらまあ。うちの主人、去年の暮れあたりから急にパソコンに熱心になりましてね」

「元刑事さんだっていうから、僕の方が好奇心持っちゃって、やいやい連絡して会ってもらったんです」

「フツーのおっさんで、がっかりしたでしょう。無愛想だし」

お茶筒ビルで一夜明かした後の緊急入院を、おっさんがどう言い訳したにせよ、都築夫人はすべてお見通しじゃないかと、孝太郎は感じた。賢夫人だ。

三十分ほどおしゃべりしていても都築が戻らないので、孝太郎はそこで失礼した。主人が退院したらうちに遊びにおいでなさいと、都築夫人はニコニコして言ってくれた。

長崎邸では、真菜が「お兄ちゃん、こんにちは」と迎えてくれた。まだ表情に乏しいし、言葉数は少ないが、日々、長崎兄妹《きょうだい》とやりとりする事柄が増えているという。

「あなたのおかげですよ。ありがとう」

泣いて抱きつかんばかりの長崎初子をかわし、孝太郎は真菜と、広い庭で一時間ばかりボール遊びをした。喉声《のどごえ》でくすぐったそうに笑う真菜は可愛《かわい》らしくて、孝太郎も久しぶりに楽しかった。この子がこんなふうに笑ってくれるようになったのなら、もう面倒くさい謎《なぞ》とか事件なんかはどうでもいいや、という気分になるほどに。

四月が来て、新学期になった。孝太郎は大学二年生に、一美は中三の受験生に、園井美香は中二になった。

森崎友理子にあんなことを言われたから、孝太郎は一度、（またけっこう苦労して）一美をつかまえ、両親の耳のないところで、美香を囲む現状を問い質した。一美は露骨に面倒臭そうで、そのリアクションに、孝太郎はまず安堵《あんど》した。

「お兄ちゃん、しつこいねえ」

もう何もないよ、サッパリしたもんだよ。

「自分で言ってたじゃん。ネットの嫌がらせってのはそんなもんだって」

「そうだよ。わかってるよ。けど、嘘《うそ》みたいに終息する反面、ちょっとしたきっかけでまたバカみたいに炎上することがあるからさ」

そも、この問題の原因であるガク先輩は、志望校に入学できたのか？

「滑ったんだよ」

一美の口調は辛辣《しんらつ》だった。

「自信満々だったらしいけど、ぺろっと滑ったんだって。ンで、滑り止めの学校を見直したり二次募集に懸けたりで、大変だったみたいだよ」

最終的には当初の目標より低い高校にやっと引っかかり、ただそこはテニス部が強

いそうで、

「そっちで巻き返すとかホザいてる」

一美は冷笑した。いや、孝太郎が生まれて初めて（ああ、これが冷笑という笑い方なんだな）と納得するような笑い方をしたと言うべきだろう。

「ンで、美香とのことは」

「美香はきっちり断ったし、ガク先輩も自分の進路が計算違いになっちゃって、それどころじゃなくなったんじゃない？」

コクハク話は消えた、という。

「〈きらきらキティ〉も騒がなくなったし、ガク先輩にきゃあきゃあいってた女子たちも、ドン引きだよ。ああも見事に志望校に滑ってくれるとさ、それまでカッコつけてた分、なおさらみっともないじゃん」

ガク先輩の株はリーマン・ショック的に暴落したらしい。

「いい気味だな」

「いい気味だよ。けど、お兄ちゃんがその言い方するのは大人げないね」

一美は手厳しい。こいつがこう言うなら、マジで大丈夫だろう。

二年生になっても、孝太郎の大学生活に変化はなかったが、クマーの方には変化があった。カナメと二人のシフトに、新顔が一人加わって三人体制になったのだ。

新人君は深山信《みやままこと》という。マ行同士だし、もしも彼が中学や高校で同級生だったら、孝太郎とは席が近いだろう。で、その場合、こいつと近くてよかったと思えるタイプだった。カナメもすぐ仲良くなり、「マコちゃん」と呼ぶようになった。

マコちゃんは大学生ではなく、コンピュータ関係の専門学校で一年だけ学んでいた。この業界は歳《とし》が若いことがキモだし、授業よりも実地で覚えることの方が大切だ――と、履歴書を持ってクマーを直撃、その思い切りがいいところを真岐に買われたらしい。

「でもマコちゃん、ここのオフィスはもうすぐ失《な》くなっちゃうんだよ」

「知ってます。僕、実家は札幌ですから」

なるほど、マコちゃんは札幌の新支社要員なのか。

「真岐さんに、現場で働いてみて初めて、学校で学ぶべきこともあるって納得がいくだろうって言われました。ホントにそうだったら、向こうの新支社で働きながら、大学を受け直そうと思ってるんです」

「マコちゃんって前向きな若者だねえ」

「オレらだってまだ若者だぞ」

「でもマコちゃんの純な瞳が眩《まぶ》しいの」

二年生になってカナメは授業のコマ数が増え、ゼミも忙しくなるとかで、三人体制は大歓迎だった。マコちゃんは仕事を覚えるのも早かった。

不思議ちゃんの森崎友理子でさえ気にしていた連続切断魔の事件は、捜査も報道も、完全に停滞していた。テレビ媒体はこの事件に興味を失い、報道する材料が尽きて困っている様子がわかった。

こんなに派手で忌《い》まわしく、猟奇的で世間を震撼《しんかん》させるような事件でも、迷宮入りになってしまうのか。そんなことがあっていいのかと、珍しく夕食に間に合うように帰宅した父・孝之《たかゆき》に言ったら、そういうことは昔もあったと、飯をかき込むついでに二、三件の実例を挙げられて、面食らった。

「父さん、そういうことに詳しいの？」

「週刊誌で読んだ。特集してたぞ」

週刊誌の事件記者たちのなかにも、「この事件はどうやらお宮入りみたいだなあ」という感触が生まれているのだ。

「運がよければ、世間の記憶が薄れたころになって、犯人が別件でぽこっとヘマをして、現行犯でおさえられるとかしてさ。で、指紋やDNAを照合してみたら、こいつがかの連続切断魔でした、ってことになるかもしれないけどね」

「そんなヘタれな展開、ありかよ」

「宮﨑勤事件だって似たようなもんだった。アメリカじゃ、連続殺人犯が捕まるときは、たいてい別件らしいぞ」

そんなの収まりが悪すぎだよな——と思って、カナメとマコちゃんにメールすると、

〈うちの特捜本部も　もうないよ〉

〈切断魔の事件のチームは解散したって聞きましたけど　三島さんは個人的に追っかけてるんですか？〉

てんでに返信を寄越されて、孝太郎はさらにムッとした。

頼むから、せめて切断魔事件の方は、オレの胸のつっかえがおりるような解決の仕方をしてくれよ。

——ほかの件は解決できないんだからさ。

森永健司《けんじ》の失踪《しっそう》について、現実のなかの捜査や調査や捜索は、依然として停滞していた。みんなの関心も心配も薄れてきた。担当刑事は、最近じゃクマーには姿も見せない。真岐も成田《なりた》島長《とうちょう》も沈黙しているし、カナメなんか、近ごろでは口を開けば「マコちゃんがね」だ。ひょっとして、あいつら付き合ってるのかな。カナメのあれは惚《のろ》

気《け》なのか？

もうひとつ、山科社長に変化があったので、クマーにも少し影響の出たことがある。例のＮＰＯのスポンサー探しのためだろうが、山科鮎子は、以前とは人が違ってしまったみたいに積極的に、各種の媒体に露出するようになった。全国ネットのあるニュース番組では、週に一度ではあるが、レギュラーコメンテーターをしている。

山科社長はあの容姿だし、ファッションセンスもいい。頭の回転が速く、本人がその気になれば、真岐を言い負かすことができるほど達弁だ。たちまち人気が出た。それと同時に誹謗中傷《ひぼうちゆうしよう》の対象にもなった。もちろんどっちもネット上で、難癖の九五パーセントはバカみたいな言いがかりだが、残り五パーセントは剣呑《けんのん》な脅迫的発言であったり、ストーカー的な歪《ゆが》んだ執着の発露であったりするので、クマーではセキュリティを強化し、山科社長には単独行動を慎んでもらうようになった。私生活の方でも、社長は、今までは気楽に双方のあいだを行ったり来たりする付き合いだった真岐誠吾と、本格的に同棲《どうせい》するようになった。

孝太郎は少し淋《さび》しい。でも、事がはっきりしてすっきりしたような気もする。強がりではなしに。

「ねえコウタロウ、あたし、コウタロウの大学に行ってみたいな」

ゴールデンウィーク直前、首都圏では早々に夏日が続き、孝太郎も薄いパーカの下はTシャツだが、カナメときたら、おまえそれはさすがに早過ぎやしないかという袖《そで》無しワンピース姿である。

「何しに？」

「わぁ、愛想ない」

二人体制のときは、孝太郎とカナメでどこかへ行く機会はごく限られていたけれど、マコちゃんと三人体制になったおかげで、二人ともクマーがオフ、大学の授業もオフというタイミングが見つかるようになった。

「都内のお洒落《しゃれ》なキャンパスを親善訪問したいって意味よ」

「別に来てもいいけど、マコちゃんは誘わなくていいのか」

「何で？」

孝太郎には答えにくい質問だった。

「コウちゃん、ヤキモチ焼いてるの？」

いきなり問うようなことか？　しかも「コウちゃん」だって。カナメの声でそう呼ばれると、こっちはこそばゆいぞ。

「ヘンなの。コウちゃんは社長ひと筋だと思ってた」

「ち、ちょっと待て。それどういう意味だ」

女の子に向かって「ちょっと待ってくれ」を連発するのが孝太郎の青春だ。

「どうもこうも、素直に言葉通りの意味だよ。コウちゃん、社長に恋してるでしょ」

やっぱりカナメは国文女子だ。「恋してる」なんて、今時の若い女性が日常会話で使う表現じゃなかろう。

「憧《あこが》れてるって言い直してくれ」

「そんなところで抵抗するの、かえって男らしくないと思うけどなあ」

何だかんだ言いつつも、五月一日という連休のただ中に、カナメは孝太郎にくっついて大学へ遊びに来ることになった。

「図書館に行きたいの。ランチは学食でね」

「オレが奢《おご》るの？」

「当然でしょ」

ゴールデンウィークだろうがお盆だろうが正月だろうが、クマーは年中無休だ。それでも、所帯持ちの社員がまとまった休みをとれるようにシフトを工夫するぐらいの人情味はある会社だ。そのためにあれこれ調整していると、今度はマコちゃんが、

「僕も一緒に遊びに行っていいですか」

変則シフトのおかげで、一日の昼間なら三人が揃《そろ》って抜けても大丈夫だから、という。

「僕もカナメさんと同じで、コウさんの大学の学食へ行きたいんです」

テレビのグルメ番組で〈学食めぐり〉をやっていて、孝太郎の大学は評価が高かったのだという。

「何だよ、カナメもそっちが目的なのか」

「カナメさんって、痩《や》せの大食いですよね」

蕎麦《そば》懐石をご馳走《ちそう》になったとき、山科社長も同じようなことを言っていた。

「ホントのところ、マコちゃんはカナメとデートしたいんだろ」

「は？　僕、カノジョいますけど」

近ごろの若い者の行動原理はわからん。孝太郎は匙《さじ》を投げた。

五月一日の午前十時、三人で落ち合って、まず一緒に授業をひとコマ受けた。出席をとらない授業だし、連休中だし、階段教室は風が吹き抜けるほど空《す》いている。カナメとマコちゃんが参加してくれて、少しは賑《にぎ》やかしになったろう。

「あの教授、科学史の世界では有名な人だって知ってた？」

カナメに言われて驚いた。「ウソだろ」

あんなタルい授業なのに。

「学生に教えるのは本業じゃないんだよ。研究者なんだから」

マコちゃんが言った。「大学って、そういうアカデミズムの構造的な矛盾が露呈してる場所なんですねえ」

図書館に行くと、カナメとマコちゃんは孝太郎を置き去りに、書架のあいだをひらひら飛び回り始めた。指向性は異なれど、てんでに本好きらしい。孝太郎は閲覧室の隅に腰を据え、自分のノートパソコンを広げて、眺めたりチェックしたりただぼんやりしたりして、お昼までの時間を潰《つぶ》した。

「ランチ食べたら、また図書館に戻ってもいい？　あと一時間ぐらい」

「そんなに面白いものがあったのか」

「蔵書の統一性がないという意味で、非常に興味深いの」

「僕は二時から仕事です」

「じゃ、マコちゃん、ランチがっつり食べようね」

「はい！」

連休中なので、学食はメニューが削減されていた。なのに賑わっているのは、件《くだん》のグルメ番組のせいらしい。

「家族連れがいるって、おかしいよね。部外者じゃない」

自分のことを棚にあげて、カナメは口を尖らせる。

「若鶏《わかどり》の竜田揚げ定食、完売なんだって」

「メンチカツ定食も旨《うま》いから、怒るな」

定番メニューを三つ、それにマカロニグラタンとピザトーストとカニクリームコロッケ、豚汁も追加した。

「で、何か変わったこと起きてた？」

もりもり食べながらカナメが訊いた。図書館で孝太郎がパソコンを覗《のぞ》いていたからだ。

「何もないよ」

「僕の下宿のまわりは、今日はめちゃめちゃ賑やかでしたけど」

マコちゃんは代々木公園のそばに住んでいるのだという。

「メーデーだもんね」

「昔は、メーデーというとけっこう荒れたらしいですね」

「マコちゃん、いいところに住んでンなあ」

「下宿屋さんですよ。ふる〜いモルタル塗りの一軒家です」

家主のご夫婦が、息子さんが独り立ちして空《あ》いてしまった部屋に下宿人を置いているのだそうだ。

「朝晩二食付きなんです」

「でも、クマーで食うこともあるだろ？」

「下宿に帰ってまた食べますから」

マコちゃんも大食いだ。気持ちよくたくさん食べる。

「やっぱコンビニ弁当より、家主さんのつくってくれるご飯の方が旨いし、栄養のバランスもいいですから」

マコちゃんのために買い出しに行くご夫婦に、荷物持ちのお供をすることもあるそうだ。

「そうすっと、西新宿あたりまでマコちゃんの生活圏内だったりするか？」

「う〜ん、お店によりますけど」

「宗教団体を知ってる？〈光の家〉っていうんだけど」

「あの近所にあるんですか？ああ、だからときどき、郵便受けにパンフレットが入ってるんだ」

「マコちゃん、そんなのに近づいたら駄目だよ。お父さんお母さんを泣かせることになっちゃうんだからね」

「そんな、頭から決めつけるのは乱暴だ」

「コウちゃん、呑気《のんき》だね～。いっぺん、カルト関係を監視《ウォッチ》してみたら？」

「カナメはやったことあンの」

「社長からお話を聞いて、一度試してみたの。いっぺんで充分だった」

「オレはそんな話、聞いてない。マコちゃんは？」

「僕、まだ山科社長にお会いしたことがありません」

そうか、マコちゃんが入ってきたときには、社長は既に、クマー以外の活動に忙殺される身の上になっていたのだ。

「あたしが女子だから、社長、心配してくれたのかもね。最近のカルトは、ダイエットとかヨガとかアロマテラピーとか、女子の心をくすぐりそうなネタを表看板にしてることが多いんだよね」

「カナメはそんなもんにフラフラしたりしないだろ」

「ココロが弱ってたらわかんないよ」

「カナメさんは、どんな時でもちゃんと損得勘定のできるヒトだから大丈夫ですよ」

けっこうなサイズのカニクリームコロッケをひと口で平らげて、マコちゃんがお冷やに手を伸ばした、その時だった。

三人のスマホまたはケータイが、同時に着信音を鳴らした。孝太郎のは〈ピンポン〉、カナメのはクラシックの教会音楽の一節、マコちゃんのは短い衝突音だ。

「マコちゃん、その着信音は趣味悪いよ」

カナメが笑い、三人三様に自分のスマホまたはケータイの画面を確認し、

「――やっぱり」

という感じで顔を見合わせた。

この三人に、同時にメールが来る。クマーからの一斉送信以外には考えられない。

〈緊急招集　全スタッフ　出勤できる状況にある者は　直ちに東京支社オフィスへ集合〉

「何だろうね?」

皿に残ったグラタンをぺろりと口に入れ、カナメが言った。「切断魔事件で動きがあったのかな?」

マコちゃんは、さっそくネットのニュースを検索している。

「まだ……そのネタは……出てませんね」

「通り魔事件が起きたのかもしれない」

孝太郎は空いた器をトレイに積んだ。慌《あわ》ただしい音がする。

「あの秋葉原の事件のとき、緊急招集がかかったって、前田さんに聞いたことがあるよ」

「お二人も、こういうのは初めてですか？」

「うん。ドキッとするね」

この時の——この時までの三人のやりとりを、それぞれの仕草や表情を、孝太郎はずいぶん後になっても鮮明に思い出すことができた。他愛《たわい》のない会話。グラタン大好きのカナメが猫舌で、ふうふう吹きながら食べていたこと。マコちゃんが揚げ物には何でもソースをどばどばかけたこと。食事しながら、ちょっとしたことでも可笑《おか》しくて、箸《はし》を落としそうなほど笑ったこと。競って飯を頬張ったこと。マコちゃんの口の端にくっついた飯粒をさして、カナメが「お弁当がついてるよ」と言ったら、マコちゃんがいたく感激したこと。それ、面白い！　何で〈お弁当〉なんですか？　初めて聞きました！

三人同時にメールの着信音が鳴った瞬間、三人同時にまばたきしたこと。

それは、その瞬間が境界だったからだ。光と闇の。充足と喪失の。取り返しのつかない、消すに消せない境界線。それ以前と以降との断絶があまりに深く、そこで全《すべ》てが変わってしまったから、変わる寸前の輝きが、孝太郎の脳裏に焼きついたのだ。

「ともかく、とっとと行こう」

トレイを片付け、連れだって学食の出口に向かったとき、今度は孝太郎のケータイだけが鳴った。音声電話の着信音だ。昔の黒電話の音に設定してある。

「前田《まえだ》さんだ」

表示を見て、孝太郎は二人に言った。〈ドラッグ島〉で、三人に共通の先輩だ。

「噂《うわさ》をすれば影だね。ホントに通り魔事件だったら嫌だな」

カナメの表情が曇る。マコちゃんはまたスマホのニュース検索画面を覗き込む。孝太郎は二人の方を向いたまま電話に出た。

「はい、三島です」

「今どこにいる?」

身体《からだ》を鍛えるのが趣味の前田は、筋肉ムキムキで強面《こわもて》だが、普段はこんなつっけんどんな物の言い方をする人ではない。

「大学です。カナメとマコちゃんも一緒にいます」

「ああ、学食へ行くとか言ってたな」

それならよかったと、急《せ》き込んだ口調のまま、前田は少し声をひそめた。

「もう知ってるか？」

「何をですか」

スマホの画面をスクロールさせていたマコちゃんの手が止まった。

「知らないならよかった。ともかく、早くこっちへ来てくれ」

マコちゃんの表情が強《こわ》ばり、それに気づいたカナメが彼の手元を覗き込む。そして、小さく息を吸い込んだ。

孝太郎の首筋が寒くなった。カナメ、何でそんな顔するんだ。

「——もしもし孝太郎？　聞いてるか」

カナメが両手で口元を押さえ、マコちゃんは目を瞠《みは》ったまま、また忙《せわ》しく画面をスクロールさせる。

「前田さん、何があったんですか」

返事が来る前に、マコちゃんが言った。

「コウさん、切断魔事件の第五の犠牲者が出たんです」

その声が聞こえたのだろう、電話の向こうの前田の声が裏返って捩《ねじ》れた。「検索してるのか？　やめろ！　三人とも早くこっちへ」

今や血の気を失った顔をして、カナメが震える声で言った。

「コウちゃん、動画がアップされてる」

「投稿サイトか?」

マコちゃんがうなずいて何か言いかけたけれど、カナメの顔色を見てやめた。スマホをジーンズのポケットに突っ込む。

「早く会社に行きましょう」

前田が孝太郎を呼んでいる。大声で呼んでいる。気がつかないうちに、孝太郎は携帯電話を耳から離してしまっていた。

「孝太郎！　孝太郎！」

「――すぐ行きます」

カナメが泣き出して、その場にしゃがんでしまった。マコちゃんも一緒にしゃがんで、両腕でカナメを抱きかかえた。

「泣いてるの、芦谷か」

前田の声も震え始めていた。

「はい」

泣くばかりではなく、カナメはえずき始めた。せっかくのランチを戻しそうになっている。マコちゃんが背中をさすってやる。

「ひどい……ひどい……」

呻《うめ》きながら泣く、カナメの顔はくしゃくしゃだ。マコちゃんも青ざめている。

「芦谷を頼むぞ。女の子だから——」

「オレとマコちゃんで連れていきます」

電話を切り、孝太郎も膝《ひざ》を折ってしゃがむと、マコちゃんのジーンズのポケットから彼のスマホを引っ張り出し、手に取った。

「ああ、吐いちゃう」

カナメがひときわ大きくえずき、両手で口に蓋《ふた》をした。マコちゃんが慌てて助け起こし、

「トイレ、あっちです」

二人、もつれるようにして、トイレの表示のある方向へ走っていく。

スマホの動画は静止状態になっていた。それを見ただけで、孝太郎は力が抜けた。しゃがんでいる姿勢から、ぺたりと尻《しり》を落として座り込んでしまった。

女性の上半身が映っている。土手か、草っぱらみたいなところだ。やや右に身体をよじって、仰向《あおむ》けに倒れている。両目が開いている。口も軽く開いている。

髪が乱れ、頬にかかっている。黒いスーツとその下のブラウスの襟元が乱れ、大きく開いている。首のまわりにぐるりと、どす黒く変色したあざが見える。開けっ放しの両目の上を、羽虫がぶんぶん飛んでいる。

その顔は、見間違えようがなかった。

山科鮎子。

――社長。

静止状態を解除すると、手ぶれのひどい映像は、倒れている山科鮎子の全身を舐《な》めていく。スカートがめくれて下着が丸見えだ。靴は履いていない。壊れた人形みたいに、手足を投げ出して倒れている。

こんなもんを撮りやがったのは、どこのどいつだ。何でこんなもんを投稿しやがった。プロバイダは何やってんだ。

映像の手ぶれが止まり、ワンショット、次にもうワンショット、アップになった。

山科鮎子の左右の手の指は、すべて切り落とされていた。

執拗《しつよう》にそれを映し続けるスマホを取り落とし、孝太郎はへたりこんだまま大声で叫んだ。言葉にならない。ただ咆哮《ほうこう》しただけだ。何度も、何度も、何度も。

「あんなもんを撮って流したヤツは、もう警察に押さえられてるからな。安心しろ」
泣き疲れて表情が失《な》いカナメに、前田はまずそう声をかけた。

孝太郎たちがクマーに着くと、〈ドラッグ島〉のメンバーは七割ほど集まっていた。欠けているのは旅行に行っている者たちだ。すぐには戻ってこられないだろう。

他の島々でもメンバーが集まっているが、真岐の姿はどこにも見えない。だから島長たちが集まって話し合いをして、島ごとに状況説明をすることになったようだ。〈ドラッグ島〉は真岐が島長を兼務しているから、古参の前田が代理を務める。

カナメは歩くのもおぼつかなくなっていて、ここまでマコちゃんがおんぶしてきた。今もマコちゃんにもたれかかって、支えてもらっている。ほかの島でも、女子社員やバイトの女の子たちは互いにつかまり合うように身を寄せて泣いている。

クマーの男たちだって泣きたいのは同じだ。現に、駆けつけた孝太郎たちを迎えてくれたとき、前田の目は真っ赤に充血していた。〈学校島〉の成田島長も、さっき見かけたときには手で目頭を押さえていた。

ただ、悲しみ以上に怒りが強い。今はショックで泣いている女子たちだって、ほどなくそうなるだろう。オレたちの社長、あの素晴らしい人が、みんなに敬愛され、社会のために懸命に働いていた人が、なぜ理不尽に殺されてしまったのか。

しかも、遺体があんなふうにさらしものにされるなんて。

「あの動画を撮った野郎が犯人じゃないんですか」

「変態ですよ、変態」

メンバーたちの質問に、前田は筋肉の盛りあがった腕を持ち上げ、分厚い掌《てのひら》を広げて、一同の怒りの波を押し戻した。

「そうじゃないんだ。何せ——まったく腹立たしいが、あの動画を撮ったのはクソ野郎じゃなくて、クソガキなんだよ」

山科社長の遺体発見現場の近所に住んでいる、中学二年生の男子生徒なのだという。

まさに〈厨房《ちゅうぼう》〉だ。孝太郎は黙ったままかぶりを振った。何てバカな話だ。何てひどい話だ。隣でマコちゃんも同じことをしている。言葉がない。

「今ごろ、警察でたっぷり絞られて青くなってるだろうさ」

山科鮎子の遺体が遺棄されていたのは、墨田区南部の住宅密集地のなかにぽつんと空いた、更地の片隅だった。そこにあった古家が取り壊され、土地が売りに出されている。草ぼうぼうになっていたのもそのせいだった。

「まわりは住宅や古い木造アパートがごみごみ集まってるところでね。まあ、典型的なイメージどおりの下町って感じだろう」

今朝五時半すぎ、空き地の隣にある家の主婦が、ゴミ捨てに外へ出て遺体を発見した。住宅密集地のことだし、主婦の叫び声は近所じゅうに響き渡ったというから、すぐに大騒動になり、

「で、パトカーが駆けつけてくるまでの五分かそこらのあいだに、クソガキが撮影をなさったってわけだ」

やった！　オレってチョーラッキー！　これ撮ってアップしたら、百万単位のお客が来るぜ。みんなしてこいつを再生するぜ。オレって一躍有名人じゃん？　カミだよカミ！　てなことを考えたんだろう、きっと。あの無惨《むざん》な遺体を目《ま》の当たりにしても、それしか考えつかなかったのだろう。

誰でも情報発信することができる開かれたネット社会は、そういう愚かな目立ちたがり屋の放牧場でもあるのだ。孝太郎は、今になって吐き気を感じた。

「誰も、やめさせなかったんでしょうか」

マコちゃんがまっとうな質問をした。

「ガキが何やってるのかわからなかったんだろ。近所の人たちもみんなうろたえちゃって、何人も空き地に踏み込んでいたらしいから」

「現場を踏み荒らしちゃいけないってことも知らなかったんですかね」

メンバーの一人が不愉快そうに呟《つぶや》く。

「ただまあ……その、何だ、言いにくいが」

前田が顔を歪めた。

「うちの社員がクソガキのこの動画を見つけて、社長だってわかったんだ。それで、うちから警察に通報したんだ。た、たに」

舌の筋肉も捩れてしまったのか、前田が言葉に詰まって噛《か》んだ。

「他人の空似だといいって、思ったけどさ」

そのときだけ泣くような声になった。

「そうでなかったら、まだ社長の身に何かあったってことさえわからなかったかもしれない」

遺体のそばには、社長愛用の黒いバッグも、スマートフォンもパソコンも、財布も名刺入れも、身元のわかりそうなものは全く残されていなかったという。確かにそれでは、下町の空き地で女性の遺棄死体発見、という第一報になるだけのところだった。

「だいたい、社長はどこにいたんです？　いつ東京に来てたんですか。どうして一人にしちゃってたんです？　社長のスケジュール、誰もちゃんと管理してなかったんですか？」

女性では最古参のメンバーが、尖《とが》った声を出して問いかけた。みんなが訝《いぶか》っていることだ。前田は顔を歪めたままうなずいた。

「今週はずっと名古屋のはずだったんだ。俺は真岐さんからそう聞いてた。でも何か用事ができたんだろうな。昨夜《ゆうべ》八時に東京駅に着いて、麻布のマンションへ行って、今朝は正午にこっちに出てくる予定になってたって」

「一人で新幹線に？」

「いやいや、ちゃんと諸橋《もろはし》さんが同行してたよ。東京駅で社長をタクシーに乗せて、別れたんだ」

諸橋というのは名古屋本社の社員で、山科社長専属のアシスタントだ。三十歳ぐらいの、体格のいい男性社員である。

メディアに露出するようになる以前は、社長はごくごく身軽で、特別にその必要がない限り、移動や出張にいちいち諸橋を伴うことはなかった。だから東京支社の者たちも、めったに諸橋の顔を見かけなかった。

ただ、このごろは事情が変わって、山科社長にはいつも諸橋が同行している。孝太郎も、ここで社長の顔は見なくても、諸橋を見かけて、あ、社長は今こっちなんだなと思うことがあった。カナメは諸橋のことを、「社長のＳＰ」と呼んでいる。

昨夜、そのＳＰと別れた後から、今朝早くに下町の空き地で見つかるまでのあいだに、山科鮎子の身に何が起こったのか。

前田はメンバーたちの顔を見回すと、

「みんな知ってるか、知らなくても薄々察してるだろうが、社長と真岐さんは昔から親しくしてて、この一年ばかりは事実婚の状態になってたんだ」

籍は入れていないが、麻布二丁目のマンションで同棲しており、互いにパートナーとして認め合っている。

「社長はずっと名古屋と東京を行ったり来たりしてたけど、ここをたたんで札幌支社を立ち上げるタイミングに合わせて、二人とも名古屋に移って、あっちで新居を構えることに決めてたんだよ」

ついでに――と、なぜか前田は頭を掻《か》く。

「社長は真岐さんに社長職を譲って、自分は新しく始めたＮＰＯの方に専念するつもりだったらしい。真岐さんは渋ってたけど、島長会議で話題に出してたから、まあ二人のあいだでは決定事項になってたんだろう」

だからいろいろあるわけさ――と、またぞろなぜか弁解口調になる。

「ただでさえ忙しい社長が、仕事に加えて結婚の準備も始めてたんだ。女性にとっては格別に大事なことだろ。ここんとこ、諸橋さんでも社長がつかまらないことがあってコボしてたけど、それだって仕方ないよ」

「諸橋さん、今はどこに？」

「真岐さんと警察にいる。あ、社長のご両親を迎えに行ってるかな」

社長の両親。ずしんときた。

みんな同じ気持ちなのだろう。一列に並んでビンタを食ったみたいな顔だ。

「――真岐さんは何やってたんですか」

誰の声かと思えば、カナメだった。マコちゃんの肩から身を起こし、顔を上げて、でも視線は誰も見ていない。宙を見据えている。そして呪文《じゅもん》でも唱えるように、いや、呪詛《じゅそ》をかけようとしているかのように不穏な抑揚をつけて、

「誰よりも社長を守らなくちゃいけない真岐さんは、昨夜《ゆうべ》いったい何やってたんですか」

マコちゃんと前田を除く全員が、カナメのその宙を睨《にら》む空っぽの視線を避けた。

「芦谷」

前田は机に手をついて、カナメの方に身を乗り出した。

「おまえの気持ちはわかる。こんな形で社長を失って、俺だって無念だし腹が立つよ。

だけどな、そんな言い方はするな。今、俺たち以上に悔しくて悲しくて腹立たしくて、誰よりも責任を感じてしまっているのは、真岐さんだ」

メンバーの男たちがうなずいている。

「島長は昨夜、泊まりだったのよ」

最古参の女性メンバーが言った。さっきほど尖った声ではない。

「あたしも昨夜は四時までいたから知ってる。真岐さんあたしに、頑張りすぎるなって声をかけてくれたのよ。うちの母が入院してるから――あたし、お金が要るんで」

声が詰まって、泣き出した。

「だからって頑張りすぎるなって言うのよ。真岐さんだって徹夜してたのに。札幌新支社の件で、書類仕事が溜《た》まってるんだって。昼間は落ち着いてできないんだって」

ずっと働いてたのよ――と、カナメを叱《しか》りつけるように声を強めた。

「真岐さん、遊んでたわけじゃない。社長をほったらかしにしてたわけじゃないわよ」

途端に、カナメが声をあげて泣き出した。

前田が下を向いた。彼の目がまた赤くなっている。

「事件のことは、まだまだわからないことばっかりだ。捜査は警察に任せて、俺たちは俺たちにできることをやろう」

通常業務をおろそかにしてはいけない。

「それと、各島から二人ずつ選抜して、この件に対応するチームを作ることになった。志願者はいるか？」

孝太郎は手を上げなかった。それが意外そうに目をしばたたいて、マコちゃんが手を上げた。

ネットの情報管理と危機管理対応を専門とする企業のトップが殺害されたのだ。これから、いやもう既に刻々と、クマーめがけて、クマーを対象に、無数の情報が発信されていることだろう。有益な情報、無益な情報、無害な情報、有害な情報。そして、膨大な野次馬の声。

「これ、連続切断魔の起こした五件目の事件だって決めちゃっていいんでしょうか」

「警察はまだ公式には何も認めてない。ていうか、これまでの四つの事件だって」

「これでやっと警視庁の事件《やま》になったんだ。ちっとは展開が違ってくるよ」

メンバーたちのやりとりが飛び交う。孝太郎は手を伸ばし、カナメの手を握った。カナメも握り返してきた。

――オレは機械だ。

よく働く。目の前の業務をこなす。知性はあるが心はない。動じない、泣かない、怒らない。孝太郎は自分にそう言い聞かせた。そしていつもの業務をいつものようにこなした。こんなときでも、誰かが誰かにドラッグを売りつけようとしたり、誘おうとしたり、やめたいのにやめられないのは心にこれこれこういう傷があるからだとかぐだぐだ弁解したりしていて、孝太郎はそれを監視《ウォッチ》する。

山科鮎子は死んでしまった。

どこの誰とも知らない人間の手で命を奪われ、草ぼうぼうの空き地に転がされた骸《むくろ》になってしまった。

孝太郎にとってあの人は、自分の手は届かないけれど、それがこの世に存在しているというだけで生きる意味と価値を信じることができるような、そんな素晴らしいものを持った人だった。

女神が殺されたのと同じだ。

オレは機械だ。何も感じない。少なくとも今はまだ。感じないし考えない。そうでないと、ここにいられない。

記者やレポーターがクマーにも押しかけてきた。窓の外が騒がしい。こちらと本社の広報担当がスカイプで会議をして、対応の仕方を決めたらしい。見慣れない背広姿の男性が、額に汗を浮かべてやってきて、島長会議をしている部屋に入っていった。

弁護士さんだねと、カナメが言う。

「襟にバッジつけてた」

　ここで働くメンバーたちの個人的なスマホや携帯電話にも、着信が続いていた。事件を知って心配する家族や友人たちだ。孝太郎のケータイにも、両親と、驚いたことにハナコおばちゃんからメールが入っていた。孝太郎が返信しないものだから、焦《じ》れているのだろう、同じような文面で、何度も何度も送信されていた。〈コウちゃん大丈夫?〉〈テレビでクマーが映ってるけど　あんた無事?〉〈クマーって　確かおまえがバイトしてるところだよな　父さんの記憶違いか?〉

　休憩時間に、缶コーヒーを喉《のど》に流し込みながらそれらのメールを見ていたら、急に涙がこみ上げてきた。

　クマー、クマー、クマー。

　フィヨルドに面した小さな街が大好きな、その街の人たちが大好きな、その街の教会の鐘の音が大好きな、優しい怪獣。ひっそりと人知れず、街を守っていた怪獣。

　それを愛した人は、もういない。

――ごきげんよう。またいつか。

その〈いつか〉は、もう二度とこない。

携帯電話を握りしめて、孝太郎は泣いた。

5

――三日後。

午前十時過ぎのことだ。夜通しの勤務を終え、仮眠室のリクライニング椅子《チェア》で寝ていた孝太郎は、ドラッグ島の島長に昇格した前田に揺り起こされた。

「犯行声明が出た」

仮眠用のジャージをはいたまま、前田と二人でオフィスに行くと、持ち場についているメンバーはみんなモニターに釘付《くぎづ》けだった。どのモニターにもテレビ画面が映っている。

とうとう、この時がきた。やっぱりこうなった。孝太郎の喉から潰れたような声が出た。

「ど、どこですか？　ＮＨＫ？」

「全部だよ。キー局五つ、全部」

孝太郎も自分のモニターをつけてみた。確かに、どのチャンネルでも報道特別番組が始まっている。ネットのニュースサイトは、テレビの報道を追いかけている状態だった。

「犯人の野郎、テレビ局に手紙を送りつけやがったんだ」

犯人、アナログな奴《やつ》だったんだ。まだ鈍ったままの頭で、孝太郎はどんより考えた。ネットに縁がないなんて、年配者だったのか。それとも、自由に使うことができるネットツールを持っていない子供か。

「犯人、ちゃんと心得てやがるんだ」

孝太郎の思考を読んだように、仁王立ちになってモニターを睨んだまま、前田が言った。

「心得てる？」

「こんな情報をネットに上げたら、必ず発信元を追跡されちまうってわかってるんだよ」

バカじゃありませんねと、誰かが応じた。

「今までうちで監視《ウオッチ》してた〈自称・私が犯人です〉タイプの連中とは違うってことっ

スね」

三件目の三島市の事件のとき、孝太郎も巨大掲示板を舐める作業をしたが、あの時点でも既に、〈俺がやった〉〈犯人は私です〉的な書き込みはいくつか飛び交っていた。が、それらは最初《はな》からふざけているか、明らかに妄想混じりで、まともに取り合うレベルのものではなかった。

「犯行声明を出すなら、やっぱり相手はテレビ局だって思ったのかもしれないですよ」

背後の声に振り返ると、疲れた顔のマコちゃんが立っていた。髪が濡《ぬ》れている。彼も徹夜続きのはずで、顔を洗ってきたらしい。孝太郎にうなずきかけると、らしくもない毒づくような口調でこう言った。

「とうとう東京で事件を起こして、これっていわば全国デビューでしょ？　だったら華々しくテレビでやろうって」

「五件目で初めて、有名人を殺したしな」

オフィスの入口に、今度は真岐が立っていた。シャツもズボンもしわくちゃで、顔には無精髭《ぶしょうひげ》が浮いている。

「真岐さん、いたんですか」

驚いた前田が近寄ろうとすると、うるさそうに手を振って追い払った。

「警察へ行ってくる。確認しなくちゃならないものがあるっていうんだ」

「え？」

「テレビ、見ててくれ。俺は鮎子のおふくろさんを迎えにいかないと」

病人のようにふらついていた。幽霊のように影が薄くなっていた。

「——母親に見せられるもんか、クソ」

声を振り絞って吐き出すと、よろめきながら洗面所の方へ立ち去った。前田が慌てて後を追う。

孝太郎とマコちゃんは、肩を並べて報道特番を見続けた。二人で分担し、五つのチャンネルをくまなく見た。どの局でも、自分たちのもとに送りつけられてきた犯行声明の内容を、はっきり報道していない。どうやら、その内容がすべて同一のものであるか、局によって差があるのかないのかわからないうちは、慎重になっているようだ。

もうひとつ気になるのは、

「キャスターたちみんなして、奥歯にものが挟まったみたいな感じですよね」

そうなのだ。〈犯行声明〉に、何か同封されたものがあるらしい。らしいのだが、それが何だか、どの局でもはっきり言おうとしない。言いにくい性質のものなのか、早々に明らかにしてしまうと今後の捜査に障害が生じる可能性があるものなのか。

正午を過ぎて、各番組の枠が変わっても報道特番は続行され、そのころになってようやく詳細が報道されるようになってきた。

各局に送りつけられた犯行声明文は、すべて同一のものだった。定規を使って書いたような角張った手書きの文字で、B5サイズのコピー用紙の中央に、たった一文。

〈私はただ　失われた身体を集めて　取り戻したいだけです〉

句読点はつけられていない。

各局への宛名《あてな》書きも同じ字体だった。封筒は、日本全国どこでも買えるありふれた事務用のものだ。指紋や掌紋がついているのか。どこから投函《とうかん》されたものなのか。細かな捜査はこれからだろう。孝太郎にとって、それらの些事《さじ》はどうでもいい。この犯行声明文が〈本物〉でさえあればいい。

確かに、これは本物だった。それを裏付ける証拠が、五通のうち三通の文書にひとつずつ同封されていた。

①プラチナ台に〇・八カラットのロシアダイアモンドを飾った指輪。一ヵ月ほど前、真岐誠吾が山科鮎子に贈った婚約のしるしである。指輪の裏には、日付と二人のイニシャルが刻まれている。

②ダイアのピアスが片方。これは、山科鮎子の遺体の右耳に残っていたものと対になっていると判明。
③山科鮎子の所持品である革製のカードケース。Ｓｕｉｃａと、スナップ写真が一枚挟んであった。真岐誠吾と彼女の写真である。
遺体のそばに、山科鮎子の所持品は残されていなかった。ハンドバッグも携帯電話も財布も消えていた。犯人が持ち去ったものと推定されていた。

その一部が、こんな形で現れた。キャスターたちが、すぐには明らかにできなかったのも無理はない。

真犯人でなければ、こんな真似《まね》ができるものか。

〈失われた身体を集めて　取り戻したい〉

それが、真にこいつの動機であるのかどうか。

一件目の苫小牧の事件では、男性の被害者・中目史郎《なかのめしろう》が左足の親指を切り取られていた。

二件目の秋田の事件では、未《いま》だ身元の判明しない女性被害者の遺体から、右足の薬指が切り取られていた。

三件目の三島市の事件では、衣装ケースのなかに詰め込まれていた真美《まさみ》ママこと戸《と》尾《お》真美は、右足の中指を切断されていた。

四件目の被害者、戸塚の薬剤師は、右脚の膝から下が切断されていた。

そして五件目の山科鮎子は、両手の指を十本、すべて切り落とされていた。

〈失われた身体を集めて　取り戻したい〉

そんな筋書きは、孝太郎にはどうでもよかった。

欲しいのは、こいつの〈言葉〉だけだ。

午後も遅くなると、犯行声明を記したぺらっとしたコピー用紙が、各局で映し出されるようになった。それを録画し、プリントアウトした。クマーもいつものクマーではなく、仕事のあいまに孝太郎がそんなことをしていても、誰も気づかないし、注意もしなかった。通常業務を維持する役割を担《にな》う者たちは、ただ普通にしているだけでいっぱいいっぱいだった。

新聞も買った。号外が出ていると聞き、御茶ノ水の駅前まで走ってもらいに行った。

孝太郎が求める犯行声明文の写真は、夕刊各紙に掲載された。

言葉。犯人が綴《つづ》った言葉。

こういう形でも大丈夫なのだろうか。肉声でなければ駄目なのだろうか。印刷されたものでは駄目で、現物が必要なのだろうか。

わからない。ただ賭《か》けるしかない。

夕方、カナメが出勤してきた。彼女も変則シフトになっており、今夜は泊まりだ。

「あたし、家にいても大学に行っても、何もまとまったこと考えられないし、泣いてばっかりいるの。クマーにいる方が落ち着く」

目のまわりに濃い隈《くま》をこしらえ、この数日で頬がこけてしまった。

「コウちゃん、少し休みなよ」

「うん、そうする」

「仮眠じゃなくて、ちゃんと家に帰って」

「それはもうちょっとおあずけ」

休憩室で菓子パンを口に押し込み、自分のノートパソコンを立ち上げる。

また、前と同じことをやるのだ。ネットという言葉の大海に石を投げ入れる。そして波紋が広がり、届くのを待つ。

前回は、孝太郎の発信に応《こた》えて現れたのは、森崎友理子という美少女だった。謎《なぞ》めいたことばっかり教えられ、もうこんなことをしてはいけないと叱られた。

今度は違ってほしい。会いたいのはあの娘《こ》じゃない。今の俺はこれまでとは違う。

孝太郎の指はキーを打つ。

〈守護戦士ガラへ　取引を求める〉

　どっかの野次馬がこれを見て、くだらないリアクションをしてきたってかまうもんか。親切なネット市民に心配してもらっても、どうぞおかまいなく、だ。

　俺は取引を求める。ガラ、姿を現せ。


　午前零時。

　孝太郎は三度《みたび》、西新宿のお茶筒ビルの屋上に立っている。

　初めて都築とここで出くわしたときは、夜風に身が凍るようだった。今は、風に吹かれて心地よいくらいだ。夜風が煮えたぎる胸を冷やしてくれる。暴れる心臓を宥《なだ》めてくれる。

　あの夜と同じく、目をやれば、宇宙ステーションのように非現実的な高層ビル群の放つ光。目を落とせば、お茶筒ビルを取り囲む、生活感漂う明かりとその隙間《すきま》の暗がり。空気にこもった繁華街の臭《にお》いと、夕食の総菜の匂《にお》い。

　上げ蓋のそばにリュックを置き、その上に尻をおろして、孝太郎は両腕で膝を抱いた。頭《こうべ》を垂れ、膝頭に額をつける。

　――ショックなんだね。

森永健司の失踪《しっそう》が明らかになったとき、山科社長はそう言った。

――こういうアクシデントには、意外と男の方が脆《もろ》いのよ。

あの甘やかな声。優しい眼差《まなざ》し。

――言葉は消えない。

誰も自分の発信した言葉から逃げることはできない。

――だから三島君は、現実のなかのストレスは現実のなかで処理すること。いいわね？

社長の忠告を、俺は破ろうとしている。それと正反対なことをしようとしている。実在の世界の出来事に対応するために、存在するだけで実在しないものの力を借りようとしている。

だけどあの黒い翼が、あの女戦士が、あの大鎌《おおがま》の冷たい光が必要なんだ。存在するだけで実在しないものが、孝太郎という実在に触れてきた。だから今度は、こちらから手を伸ばして、そいつをしっかり摑《つか》みたいんだ――

夜風とは違う風の流れが、孝太郎の耳を撫《な》で、髪を乱した。

顔を上げ、振り向いた。そのまま糸に引かれるように、孝太郎は立ち上がった。

翼を半分たたみ、わずかに首をかしげ、両腕を胸の前で組んで、漆黒の女戦士はそこにいた。呆気《あつけ》ないほど容易に。夢のように鮮やかに。

いつ舞い降りたのか。

そのくちびるが動き、問いを発した。

「私に何の用だ」

大きく深呼吸をしてから、孝太郎は答えた。

「あんたに狩って欲しい獲物がある」

——やっぱり、これは幻覚なのかもしれない。

孝太郎は目を瞠《みは》ったまま夢を見ている。そして夢と現実の境界から足を踏み出し、夢の世界へと墜落してゆく。今はその前の一瞬に過ぎないのではないか。

「その獲物とやらが、おまえの取引の材料なのか」

ガラの声が胸の奥に響いた。初めて遭遇したときにも経験した、内視《スキヤン》だ。ガラは孝太郎の内面を探っている。

「取引というものは、双方がそれに見合う材料を持っていて、初めて成立するものだ」

腕組みを解くと右手を上げ、ガラは人差し指を立てた。長く鋭い爪《つめ》は、翼と同じ漆黒だ。

「だがおまえは、獲物はこれから私が狩れという。おまえは手ぶらで、私にのみ取引を呑《の》ませようとしている」

幼い子供を窘《たしな》めるように、女戦士は軽く人差し指を振ってみせた。

「それは正しいふるまいではない」

孝太郎は、両脚を踏ん張って立ったまま、自分の視界が揺れるのがわかるほど強く胴震いをした。

ガラはちゃんとここにいる。オレたちは話し合ってる。そう、この異形の女戦士には言葉が通じるんだ。

「虫のいい話だってことは、オレも承知だ」

孝太郎は一歩ガラに近づいた。

「だけど、あんたにとっても悪い話じゃない。この獲物からは、今まで集めてきたのとはレベルの違う、でっかい渇望《かつぼう》をぶんどることができるぞ」

ガラは孝太郎を見つめたまま、右手の人差し指を自分のくちびるにあてた。

「凄《すご》い渇望だよ。あんた集めてるんだろ？　その大鎌のなかに吸い込んで――」

ガラは、今度もまた幼い子供に、「しぃ、静かになさい」と教える母親のように、くちびるに指をあてたまま、ゆっくりとかぶりを振った。

「黙れ」

言われるまでもなかった。孝太郎は声が出なくなった。内視の不可思議な振動が、胸の奥から全身へと広がってゆく。痛いわけではない。苦しいのでもない。ただ身体のなかに手を突っ込まれて、今にも内と外をひっくり返されそうな感じだ。

「――どう？　わかるかい？」

下顎《したあご》をがくがく震わせ、口の端から涎《よだれ》を流しながら、孝太郎は何とかそう言った。

「オレ、本気だ。嘘《うそ》はついてない。マジで取引したいから、あんたを呼んだんだ。あんただって」

突然、内視が終わった。突き飛ばされたように、孝太郎は大きく後ろによろけて尻《しり》餅《もち》をついた。

息があがっている。動悸《どうき》が乱れている。それでもしゃべるのをやめなかった。

「あ、あんただって、今度は、オレが、役に立ちそうだって思ったから、こうして、現れたんだろ？」

出し抜けにえずいてしまって、手で口を覆《おお》う間もなく、孝太郎はげえっと吐いた。苦くて酸《す》っぱい胃液が飛び散った。

「い、今までは、オレがどんなに、騒いだって、し、知らん顔してたくせに」

　ガラは手を下ろし、軽く頭を振って長い髪を背中に流すと、一歩、また一歩と足を踏み出し、孝太郎のまわりを廻り始めた。

　この巨体で、このごつい装備で、どうしてこんなに静かに動くことができるのか。幻だから？　実体がないから？

「おまえは騒いでいたのか」

　孝太郎の左側で、ガラは問うた。

「ネットにいろいろ書き込んで、オレたちのほかにも、あんたのこと、知ってる人がいないかって、探してたんだよ」

　ガラは孝太郎の後ろに廻り込んだ。

「知らなかった」

　そこで立ち止まったようだ。孝太郎は振り返ろうとしたが、頭がくらくらして、首を動かすだけでも精一杯だった。

「じゃ、今は何でここにいるんだ？」

　少し動悸が収まってきた。呼吸も楽になってきた。

　ガラの返答は背後から聞こえた。

「おまえの渇望を感じたから、ここに来た」

孝太郎の渇望。

「おまえは私に、理由を問おうとしない」

なぜ渇望を集めているのか。背中に帯びた大鎌に、この〈領域《リージョン》〉の人々の魂を集めて。

「私が善なるものなのか、悪《あ》しきものなのかも問おうとしない」

ガラがまた歩き出し、孝太郎の右側に来た。

「おまえはただ、私を道具のように使いたいと欲しているだけだ」

そこからまた歩いて、孝太郎の正面に戻った。

「それほどまでして、おまえはその女の仇《あだ》を討ちたいのか」

そうか。ガラもまた、孝太郎の〈物語〉を読むことができるのだ。くどくどしい説明などしなくても、通じてしまう。あるいは見抜かれてしまうのだ。

その女。

「そうだよ」

孝太郎はうなずいた。顔が冷たい。涎で濡れたせいだ。腕で口元を拭《ぬぐ》った。

「社長を――山科鮎子さんを殺したクソ野郎を捕まえたいんだ」

連続殺人者《シリアル・キラー》だ。

「ほかにも四人、殺してる。殺して、被害者の身体の一部を切り取ってる。犯行声明を出してきて、失われた自分の身体を取り戻したいとかほざいてるけど、そんなのどこまで信じていいかわからない」

自分では正気のつもりの、頭のネジがはずれた猟奇殺人犯なのか。それとも、そういう筋書きをつくって世間を騒がせたいだけの愉快犯なのか。

「どっちだっていいんだ。オレは犯人の言い分なんか聞いてやる気はない。動機なんかわからなくていい」

だが、犯人の渇望が巨大だということはわかる。ごく普通の人間の心に宿る失望や、悲しみや、喪失感や怒りとは桁《けた》が違う。

「狂気でも正気でも、どっちだっていい。あんなことをやらかす奴の抱いてる渇望なら、あんたにとっても間違いなくでっかい獲物だ。違うか?」

ガラの長い黒髪が風に乱れる。漆黒の対の翼が、ちょっと広がってすぐに戻った。

人間が肩をすくめたみたいなものか。

「――おまえはまだ子供だな」

「な、何だよ」

「泣き虫だ」

顔が冷たいのは、泣いていたからだった。自分では気づいていなかった。慌《あわ》てて、ジャケットの袖《そで》を引っ張りながら顔全体をぐしゃぐしゃっと拭《ふ》いた。鼻水まで出ていた。

見れば、ガラの口元にかすかな笑みが浮いていた。

「――〈狼《おおかみ》〉に会ったな」

それもお見通しか。

「あんたを探しちゃいけないって忠告されたよ」

「あの者どもの忠告は、常に空《むな》しい」

皮肉な口調ではなかった。

「忠告とはそういうものだ」

少し、悲しんでいるように聞こえた。

「狼のこと、知ってるのか？　あっちはあんたをよく知ってるみたいだった」

ガラは答えず、孝太郎に近づきながら片膝を折ってかがみ込むと、言った。

「復讐《ふくしゅう》から導き出されるものは絶望だけだ。この二つの言葉の精霊《すだま》は一対のものであり、憤怒《ふんぬ》の子であり、嘆きの親なのだから」

闇《やみ》のように黒い瞳が孝太郎の瞳を覗《のぞ》き込む。孝太郎がこれまでの人生で見たことのない深淵《しんえん》の闇。光をも包み込む闇。それでいて冷たくはない。恐怖を与えない。傷ついて泣く子供を抱き、外の世界から隠して慰める闇。

もう一度、ガラは問うた。

「それでも、おまえはその女の仇を討ちたいのか」

孝太郎も身を起こし、その場に正座した。

「そうだよ。だって、これはただの復讐じゃない。正義の裁きだ。これ以上犠牲者を出さないように、この領域を守るための正しい行いなんだ」

ガラは孝太郎から目を離さずにかぶりを振る。

「復讐と裁きは違う。似て非なるものだ。人と、人の形に似せて造られたものが異なるように」

「何であんたにそんなことがわかるんだよ？」

「私は言葉の始源の地から来た者だから」

「そんな領域、実在しないんだよ！」

思わず、孝太郎は叫んだ。

「あんただって実在してないんだ！　あんたもあんたの領域も、そもそも言葉だって、生身の人間が生み出したものなんだ！　生きてる人間の影に過ぎないんだ！」

影なら、ただ本体に添っていればいい。本体の望むように、本体の行くところについてきてくれればいい。

頼むから。

「――おまえは」

ガラが目を伏せた。睫《まつげ》が白い頬に映える。

「幼いのだな」

畏《おそ》れを知らない、と呟いた。

「取引できないか？」

孝太郎はまた泣いていた。風のせいだ。さっきから風が目に染《し》みてるんだよ。

「オレ、手がかりを持ってるんだ。犯行声明だよ。犯人の言葉だ。あんた、言葉をたどって人を探すことができるんだろ？　前にそう言ってたじゃないか」

孝太郎がリュックを開けようとすると、ガラがさっと手を伸ばして制した。その目が開いて、射るように孝太郎を見据える。

「今ここで、復讐を望むおまえの渇望を取り去ってやる。それでは満足できないか」

孝太郎の渇望。今夜、ガラをここに招き寄せたもの。

孝太郎は歯を食いしばる。「嫌だ」

お断りだ。都築のおっさんみたいな腑抜《ふぬ》けになるのは、孝太郎ではない。山科鮎子を殺した犯人の方だ。連続切断魔の方だ。

「社長を殺した奴を探し出したい」

そいつの顔を、この目で見たい。

「そいつの渇望は、あんたにやる。あんたは人殺しはしないんだろ？　だから、空っぽになったそいつの身体《からだ》はオレにくれ」

「残った身体をどうする」

「ふさわしい始末をつけてやる」

きっと、日向《ひなた》の猫みたいになっちまう。にっこり温和になっちまう。都築のおっさんがそうなったみたいに。

そう——連続殺人者から動機を取り上げたら、どうなるんだろう。まっとうな人間としての良心が目覚めて、罪悪感に苦しむ？　人格崩壊してしまう？　記憶喪失者になる？

何だっていい。そうさ、オレはただ、人でなしが本当に人間じゃなくなる様を、この目で見たいだけなんだ。

ガラは言った。「おまえは、自分が何を賭けようとしているのかわかっていない」

孝太郎は言った。「わかってなくても踏み切らなくちゃならないときがある」

漆黒の翼を持つ巨体の女戦士と、痩《や》せっぽちの青年が向き合い、睨み合っている。その二人を、絢爛《けんらん》たる高層ビルの輝きが取り巻いている。大都会の夜。そこから切り離されたような、見捨てられたちっぽけな廃ビルの屋上。

「――後悔するぞ」

ガラは目を細めた。その瞬間、ふたつの瞳《ひとみ》も猫のそれのように細く尖るのを、孝太郎は見た。

悪魔の瞳だ。

「取引を呑もう。私に〈言葉〉を示せ」

ざわめきと共にガラが翼を広げ、孝太郎をすっぽりと包み込んだ。


孝太郎は西新宿の裏道に立っていた。

足は無事で、ちゃんと力が入っていて、立っている。呼吸している。手も動く。

記憶が飛んでいる。ガラと別れ、お茶筒ビルから降りてきた――

目がおかしい。視界が狭まっている。

足を踏み出す。しょぼい街灯の明かり。まだ開いている店が数軒。湯気の匂い。

急に空腹を覚えた。ラーメン屋の暖簾《のれん》だ。孝太郎が店に入ると、カウンターの向こうで、ちゃんとリュックを背負っていた。孝太郎が店に入ると、カウンターの向こうで、頭を手拭いで包んだ体格のいい男が「いらっしゃい」と言った。

店内は混んでいた。人いきれ。背広姿の男たち。派手なスーツの女たち。老人が一人、新聞を読んでいる。

店の隅にテレビがある。真夜中を過ぎて、まだニュース番組が騒いでいる。キャスターとゲストのタレントが並んで、フリップを出してあれこれ言い合っている。お客がみんなで見ている。ボリュームが大きい。耳にがんがん響く。

「本当にぞっとするような手口ですが、しかし、遺体を損壊する場面を撮影して流すようなやり口でなくてよかったと」

「そういうことは考えつかなかったんでしょう。動画投稿サイトのことなんか知らないんじゃないかな」

「いや、ネットでは追跡されますからね。足がつくのを恐れたんですよ」

隅の席に座り、孝太郎はカウンターに両肘《りょうひじ》をついた。手で顔を覆う。その手を外す。また覆う。

左目が見えなくなっている。真っ暗だ。瞼《まぶた》を開けても閉じても闇。ガラの瞳の闇と同じ。

これが取引成立の証《あかし》だった。孝太郎は、ガラに通じる目を得たのだ。

第四章　狩猟

I

「お兄ちゃん、平気？」だらしなく足を投げ出してテレビの前に座り、一美《かずみ》が問いかけてきた。

孝太郎《こうたろう》はキッチンのテーブルにつき、天板の上に自分の両手を置いていた。指を動かしたり、握ったり開いたりする。その動きを目で追って、左目の状態を確かめていたのだ。

瞬《まばた》きは普通にできる。すぐ目が潤《うる》むとか、逆に目玉が乾きやすいとか、痛みがあるとか、そんな問題は一切ない。ただ見えない。それも、瞳《ひとみ》の奥に真っ黒な紙を貼《は》り付けられたかのように、のっぺりと、暗いというよりはまさに黒いのだった。

「お兄ちゃんてば、聞いてる？」

一美がうるさい。目をやると、狭まった視界のなかで、妹は不機嫌そうに首だけよじってこちらを振り返っていた。

「オレが何だって？」

「だから、こういう番組。平気？」

一美が観《み》ているのは、ニュースという看板をあげているバラエティ番組である。さっきから、事件の解明のために山科鮎子《やましなあゆこ》社長の私生活に斬《き》り込むとか何とかほざいて、失礼千万なプライバシー暴露を続けている。

「それより、おまえ学校は」

「今日は日曜日だよ。アタマ大丈夫？」

このところ、曜日の感覚なんか失っていた。

「昨日は夜中にご帰還だったんでしょ。ンで、やっと帰ってきたと思ったら、何かバカみたいにぼうっとしてるし」

呆《ほう》けているわけではない。唐突に片目の視界を失ってしまったので、何をするにも慎重に動くようになっただけだ。注意していないとすぐつまずいたり、物を取り落としたり、家具や柱にぶつかったりする。

「日曜だって部活はあるだろ」

「中間試験の前だから休みなんだよ」

「だったら勉強しろよ」

「お兄ちゃんこそ、バイトばっかしてないで大学行きなさいよ！」

急に怒った声を出すと、一美はテレビのスイッチを切った。

「お兄ちゃん、もうバイトやめなよ」

目を尖《とが》らせて孝太郎を睨《にら》んでいる。

「お正月明けぐらいから、あたしが見てても、お兄ちゃんずっとおかしかった。バイトばっか夢中になって、どんどんブレーキがきかなくなる感じ」

孝太郎は椅子《いす》を引き、一美の顔から目を逸《そ》らすついでに、テーブルの上に両肘《りょうひじ》をついて、掌《てのひら》に顎《あご》を載せた。

そのときだ。何か淡く光る糸のようなものが、真っ黒く塗り潰《つぶ》されたみたいになっている左目の視界をよぎった。

驚いて、顎を持ち上げた。糸みたいなものはもう見えない。

「ちゃんと聞いてよ！」

声を裏返して、一美が怒鳴る。孝太郎が目をやると、妹の口元から、さっき見た光る糸のようなものが吐き出されて、ふわりふわりと漂いながら近づいてくる。

見惚《みと》れてしまった。何だ、これ。

手を上げ、指で掬《すく》おうとしてみる。すると光る糸は呆気《あっけ》なく消えてしまった。指を動かした程度の空気の流れにも耐えられないほど、弱いものなのだ。何なんだよ、これ。

一美がまだ何か言っている。見れば、泣いているのだった。

「お兄ちゃん、亡《な》くなった社長さんのこと、好きだったんでしょ？」

泣きながらしゃべるので、息が苦しそうだ。

「知ってるよ、あたし。お母さんも気がついてた」

その震える口から、また光る糸が出てきた。今度のはぐっと短い。生きものみたいに身をくねらせて、漂うというよりは空中を泳いでいる。また孝太郎に近づいてくるかと思ったら、違った。一美の顔のまわりをくねくねとまわり、右耳の穴から一美のなかに戻っていった。

孝太郎はしげしげとそれを観察していた。

「何でそんな顔してあたしを見るのよ」

おまえを見てるんじゃねえよ。

「あたしたちがお兄ちゃんを心配してるってことがわかんないの？　お母さんだって心配で心配で夜もよく眠れないくらいなのに、お兄ちゃんの気持ちがわかるから、喪服買ってくれるって。ちゃんとした格好で、社長さんとお別れできるように」

今度は孝太郎が妹の顔を見つめた。

「おまえこそ、何でそんな顔するの？」

「お兄ちゃん、おかしい」

しっかりしなさいよと声を張りあげると、立ち上がってキッチンのテーブルに寄ってきた。

「めそめそしてたって、社長さんは帰ってこないんだよ。だいたい、お兄ちゃんは片思いしてただけなの。社長さんは何とも思ってなかったの。大人なんだし、ちゃんと婚約者だっていたんだから。お兄ちゃんは相手にされてなかったの。バイトの大学生なんか、眼中になかったの。それなのに本物の恋人に死なれたみたいに浸り切っちゃって、一人で自分のこと可哀相《かわいそう》がって、何やってんのよ！」

言葉の最後に、両手で天板をばん！　と叩《たた》いた。

その残響が収まるのを待って、孝太郎は言った。「おまえなんかにわかってたまるか」

一美は怯《ひる》んで、身を縮めた。

「――どうしちゃったのよ、お兄ちゃん」

震える声で、呟《つぶや》くように問いかける。その一美のくちびるのあいだから光る糸が垂れ下がり、すぐにくちびるから離れ、螺旋《らせん》を描きながら床の上に落ちていって、そこで消えた。その瞬間に、一美が泣きじゃっくりをして身震いした。

――あの糸みたいなもの、一美の感情かな。

考えてみたら、感情って幽霊や幻覚と同じだ。存在するけれど実体はない。それが仮の実体を得て、孝太郎の左目には見える。

つまり、これがガラの能力なのか。

「あたし、お兄ちゃんのためを思って」

「うぜぇ」

孝太郎があっさり遮ると、一美は息を呑《の》んだようになって一瞬立ちすくみ、キッチンを飛び出していった。二階の自室へ駆け上がってゆく。

オレ、妹にあんなこと言う兄貴だったか。

いつもなら一美にやり込められて、謝って反省して、優しいお兄ちゃんの役目を果たすはずだ。くだらないことでも真剣なことでも、言い合いになったら折れるのは孝太郎の方。それが三島《み しま》兄妹《きようだい》の暗黙の了解だった。

なぜ、今日はそれができなかった？　一美が心配してくれてて、あいつなりの言い方で孝太郎を慰めようとしてくれているとわかってたのに。あの糸が見えたから？　何だよ、あんなもんふわふわ吐き出しながら偉そうに説教しやがって。

孝太郎はまたテーブルの天板に肘をつき、今度は両手で顔を覆《おお》った。

オレ、もしかしたら、取引のために、左目の視力以外のものも何かガラに差し出したんじゃないのか。あんなふうに言葉が見えてしまうと、引き替えに失う何かを。

立ち上がり、一美がソファの上に放り出したリモコンを使って、テレビをつけた。さっきの番組は、もう泡沫《ほうまつ》タレント同士の熱愛問題を語って盛りあがっている。

孝太郎は瞬きした。手で目をごしごしこすってみた。強く瞼《まぶた》を閉じて、パッと開けた。

それは見えた。これぐらい画面に近づかないと気づかない、うっすらとした画像だ。一見、走査線のように見える。だけど明らかに異なるのは、テレビ画面を左右に横切って流れてゆくそれらが、上下にたゆたい、波立っていることだ。太さも長さもまちまちだ。

これも、言葉だ。

さっきの一美に負けないほどの勢いで、孝太郎も自室に駆け上がった。すぐさまノートパソコンを立ち上げる。そして巨大掲示板にアクセスした。

階下のテレビ画面とは比べものにならないほど、みっしりとうねうねと、言葉の糸がひしめいていた。それぞれの微妙な差異も、ここまで過密だと孝太郎には見分けがつかない。線虫の集団を見ているみたいで、胸が悪くなってくる。

ガラはこの群れのなかから、連続切断魔を探し出すのか。犯行声明のあの一文と、まったく同じ〈糸〉を選び出すことができるのか。

科学捜査みたいだ。遺留指紋をデータベースに登録されている何十万点もの指紋と照合して、〈match found〉の表示が現れるのを見守る。そして言う。「犯人はこいつだ」

サイトによって、言葉の糸の色合いや混み具合も微妙に変わる。黙々とキーを打ちマウスを使いながら、孝太郎は酔っ払ったみたいにそれを眺めた。いや、眺めているうちに、その光景に酔っ払ってきた。

連続切断魔事件のまとめ記事を載せているサイトでは、言葉たちの糸が身をくねらせることがなく、長い針みたいに〈スッ〉と画面を横切っていく。糸の光も強く、輝かしいと表していいほど綺麗《きれい》なものもある。

ここにある言葉は、常識と理性と、猟奇事件に臆《おく》せず解決しようとする人間たちの強い意志の表れ。だから真《ま》っ直《す》ぐで美しい。

バラクーダの群れのように。

——何でそんなこと考えるんだ。

頭がくらくらする。一度にいろんな〈糸〉を見過ぎたんだ。オレ、まだ初心者なのに。

現在、山科社長の事件で焦点となっているのは、遺体となって発見される前日、午後八時に東京駅でアシスタントの諸橋《もろはし》と別れ、一人でタクシーに乗った彼女が、麻布のマンションには帰宅していなかったということだ。社長を乗せたタクシーの運転手が名乗り出て、その証言から前後の事情がわかった。

タクシーが銀座通りの交差点にさしかかったあたりで、山科鮎子に電話がかかってきた。運転手に「失礼しますね」と断ってからその電話に出た彼女は、あらこんばんは、どうしたの？　そうなの、今こっちに着いてタクシーのなかなの、などと親しげに会話して、その後、行き先を渋谷の道玄坂下に変更した。急用かと察した運転手が、「お仕事ですか」と尋ねると、山科社長は笑顔でこう答えた。

——いえ、友達に会うんです。

そして道玄坂下でタクシーを降りると、歩道を行き交う人びとの流れのなかに姿を消し、それきりになった。

——友達に会うんです。

その〈友達〉が、あの夜、山科鮎子と最後に会った人物である可能性は非常に高い。社長の携帯電話は発見されていないが、番号はわかっているので、警察はこの時間帯の着信記録を調べている。

山科社長が親しげに笑顔で話し、忙しいスケジュールのなかでも予定を変更して会おうとした〈友達〉。

そいつが犯人か。

そんな身近に、犯人がいたのか。

この人物が事件に関わりがないならば、驚き狼狽《ろうばい》し悲しみ、すぐ警察に名乗り出てきて、あるいは真岐《まき》に連絡して、前夜に自分は山科鮎子と会ってどこに行って何時に別れたと、進んで情報を出してくるのが自然だろう。今に至るまで沈黙したままなのは、どう考えたって友人らしいふるまいではない。

連続切断魔が、山科社長の友達？

ガラが答えをつかんできてくれるまで、待つしかない。

2

真新しい喪服に身を包み、孝太郎は悪夢のなかに立っている。

〈故　山科鮎子　通夜《つや》会場〉

名古屋市内の、寺院付属のセレモニーホールだった。でっかい寺だ。京都や奈良の名刹《めいさつ》さながらだ。

長い参道に参列者たちがひしめいている。線香と弔花の匂《にお》いが、こんなに離れた受付に立っていても感じられる。

マコちゃんとカナメと三人、事前に指導を受けたとおりに受付業務をこなしてゆく。機械的に頭を下げ、記帳カードを差し出し、香典を受け取り、礼を述べる。女性の参列者たちの多くは、ここでもう涙ぐんでいる。

二十分足らずで、カナメが耐えられなくなってしまった。「ごめんね」と小さく呟くと、泣きながら受付から逃げ出した。彼女の分を、マコちゃんと孝太郎でカバーする。

受付の責任者は成田《なりた》島長《とうちょう》だ。全体の様子を見ながら、頻繁にスマホを覗《のぞ》き、本社や支社と連絡を取り合っている。業務は休めない。明日は、東京支社に残っている前田《まえだ》島長が来て交替する手はずになっている。孝太郎たちもとんぼ返りで、明日は入れ替わりのメンバーたちが告別式に参列する。

読経《どきよう》が聞こえてくる。人の流れに切れ目はなく、孝太郎は下ばかり向いている。クマーの従業員たちは、通夜が終わって参列者たちが引き揚げるまでは焼香《しようこう》できない。いっそ焼香なんかできなくてもいい。この現実を受け入れたくないのは、孝太郎だって同じだ。これは悪夢だ。目が覚めたらまた山科社長の存在するクマーに戻っていて、

――三島君、このごろ調子どう？

社長が声をかけてくれて、旨《うま》いものを食べに連れていってくれて、たくさんおしゃべりをして、笑って、時間を忘れるほど楽しくて、やがて孝太郎は社長を見送り、あの綺麗な脚に見惚れて、タクシーの排気を浴びながらぽうっと逆上《のぼ》せてしまうのだ。

祭壇のそばで、山科社長の両親と並んで座っている真岐誠吾《せいご》は、死人のように見える。この会場に集っている人びとも、みんな死人のように見える。活《い》き活きと生きているのは、遺影のなかで輝くような笑みを浮かべている山科鮎子だけだ。

軽く肩を叩かれた。成田がすぐ後ろに立っている。

「おまえら、こっちはもういいから焼香してこい。済んだら、向こうの案内を手伝ってやってくれ」

受付はずいぶん空《す》いて、セレモニーホールの本殿から右手に延びる長い渡り廊下に、ぞろぞろと行列ができていた。参列者たちがお清めの会場に移動しているのだ。

「孝太郎、大丈夫か」

成田島長も死人の顔だ。山科社長が死に、オレたちの世界も一緒に死んでゆく。

受付のテントから外に出る。よろめきそうになると、マコちゃんが支えてくれた。

「カナメさん、どこかな。ちょっと探してきます」

受付から本殿への通路は屋外で、足元は石畳だ。きちんと刈り込まれた植え込みと、背丈の揃《そろ》った木立がその左右を囲んでいる。石灯籠《いしどうろう》に明かりが灯《とも》っている。その行き着く先で、黒ずくめの参列者たちの上に本殿がそそり立ち、祭壇の明かりと弔花の群れが、場違いに華やかに輝いている。まさに、そこが天国であるかのように。

——社長が昇ってゆく天国。

祭壇から目を逸らし、本殿の重厚な瓦屋根《かわらやね》を仰ぐ。まばらに星が散らばる夜空。そこに、夜よりなお暗い闇《やみ》が立っていた。

人の形をした闇、人の姿にしては大きすぎる闇。ガラだ。

大鎌《おおがま》を背負った女戦士は、本殿の屋根の上に立っている。背中の翼を畳み、片手を腰に、今、片手を上げた。

黒い手甲《てっこう》。長い爪《つめ》。顔の前で人差し指を立てると、

――静かに。

この距離なのに、孝太郎にはありありと見える。細部まで見える。間近に見える。左目に。左目のみ。ガラと通じている闇の瞳にのみ映る光景。

抜けるように白い顔の前で、ガラは掌を返すと、ぱっと指を広げた。その手を優雅に踊るように泳がせ、地上のある一点へと差し伸べる。

黒い手甲には、針のようなものが仕込まれている。初めて遭遇したとき、孝太郎も都築《つづき》もそれを向けられて、身動きすることができなくなった。

ぴたりと、ガラは狙《ねら》いをつけた。

黒い手甲から、ガラの長い人差し指に沿って、一本の針が飛び出す。線香の煙と読経の声、人々の嗚咽《おえつ》や囁《ささや》きのなかを、音もなくまっしぐらに、夜気を切って飛んでゆく。

見える右目には見えず、見えない左目だけで、孝太郎はその軌跡を追う。闇を切り出し、削り、磨き上げてつくられた漆黒の輝き。その先に――

渡り廊下。喪服の人の列。そのなかの一人。孝太郎の左目に映る横顔。女性だ。泣いている。ハンカチを顔にあてている。隣にいる誰かと支え合うように腕を組んで、口元を震わせながら何か話している。

その女性の背中のど真ん中に、漆黒の針が突き刺さって、消えた。

思わず、孝太郎は息を吞んだ。

彼女の足元に、とろん――と流れ出るように、ひとかたまりの影が生じた。みるみるうちに大きくなり、彼女と同じ背丈、彼女の体型を完璧《かんぺき》になぞった影となった。この場所で、光源の本殿からこの距離で、こんな影ができるはずはない。

だから、あれは影じゃない。

――人形《ひとがた》だ。

孝太郎の左目のなか、黒く塗り潰された視界のなかに銀色の矢が飛び、右から左へと横切って消えた。

――それが言葉の主《ぬし》だ。

ガラの声が、孝太郎には見えた。

その場に突っ立ったまま、孝太郎はゆっくりと瞬きをした。

しめやかにうつむいて移動する参列者たちのなか。あの女だけが、たった一人。

影を引きずって歩いている。どこに光源があろうとも、彼女が物陰に入ろうとも、けっして消えず、形を変えることもない影を。

大勢の参列者たちのあいだに交じろうと、見分けることができる。己《おのれ》の暗黒の人形と共にいる、喪服の女の白い顔。

――おまえの獲物だ。

ガラの声が、また見えた。孝太郎の脳裏を横切る銀色の矢。

「わかった」

声に出して応じると、本殿の屋根の上からガラの姿が消えた。同時に、背中に柔らかなものが触れるのを感じた。

「コウタロウ、どうしたの？」

振り返ると、目を泣き腫《は》らし、くしゃくしゃになった白いハンカチを握りしめたカナメと、彼女の肩を抱いたマコちゃんがいた。

「――何でもない」

孝太郎は二人に微笑《ほほえ》みかけた。

「お焼香しに行こう」

女が犯人だなんて。

山科社長にあんな酷《むご》いことをしたのが、社長と同じぐらいの年代の女性だなんて。

これまでの経験がなかったら、たとえ神のお告げだったとしても信じられないだろう。

ガラの言葉だから信じていいという保証も、実はないのだ。孝太郎は大いに逡巡《しゅんじゅん》していいはずだ。疑い、迷って、否定してかかって然《しか》るべき状況だ。

だが、そんな気持ちはまったく湧《わ》いてこない。それを不思議だとも思わない。

お清め会場で立ち働きながら、黒い人形の女を観察する。彼女は同年代の男女と集まってひとつのテーブルについている。涙にくれ、肩を抱き合い、それでもときには控えめな笑顔も見せている。気心が知れた感じ。きっと、社長の学生時代の友達だ。

空き瓶やグラスを片付けながら、さりげなくそのテーブルに近づき、初めて間近に彼女の影、ガラが作った彼女の人形を目にして、孝太郎は驚きに声をあげそうになった。

影が動いている。いや、うごめいていると言うべきか。

とっさに連想したのは、映画やコミックのなかでしか見たことのない、黒い死体袋だ。あのなかに、遺体ではなく、ぐにょぐにょした気味悪い生きものや、腐った食べ物や、饐《す》えた悪臭を放つ傷《いた》んだ古着の類《たぐ》いをいっぱいに詰め込んで、人の形をつくる。

そうすると、この女が引きずっている影ができあがる。

実際には、この女《ひと》の影のなかでは、いったい何がうごめいているんだ？　今にも、死体袋を突き破って飛び出してきそうなほど、激しく動いているものもある。じっと見つめると、影のなかに透けて見えそうなものも。

そして、見えた。左目で見えた。黒い人形のなかで動いている、無数のものの姿。

——言葉だ。

一美のとき、都築のおっさんのとき、そしてさっきのガラとのやりとりのときと同じ。

糸のようなもの。矢のようなもの。紐《ひも》のような形も見つけた。うねっている。突っつき合っている。絡《から》み合っている。色彩は豊かだ。暖色から寒色まで。一人の人間が内包している言葉の集合。視覚化されると、こんなに色とりどりなのか。

「あの、何かご用かしら」

気がつくと、件《くだん》のグループの男女が、てんでに不審そうな目で孝太郎を見ている。当の本人の人形の女はぎょっとするほど顔が近い。ちょっと身をよじって、孝太郎から離れようとしている。

左目で見ることに夢中で現実を忘れ、近づきすぎてしまったのだ。

「おケイの知り合い？」

人形の女に、隣に座っている女性が訊《き》いた。

「知らないわ」

人形の女は椅子をずらして、さらに孝太郎から遠ざかろうとする。その仕草は露骨に迷惑そうだった。

孝太郎はすぐ姿勢を正し、きちんと頭を下げた。「すみません、失礼しました」

おケイと呼ばれた人形の女を、正面から見る。美人だが化粧が濃い。つくりものの顔をしている。

「人違いをしたみたいなんです。皆さんは、社長の大学のゼミのご友人の方々では――」

ああ、違う違うと、テーブルを囲む男女がてんでに応じた。

「僕たちは故人のサークル仲間なんですよ」

「ツーリング同好会」

そうでしたかと、孝太郎は大げさなほど深くうなずき、

「じゃ、ホントに人違いです。社長のゼミ仲間だったサトウケイコさんという方をお

探していまして」

「こっちのおケイはタシロケイコ」

　さっきの女性が、人形の女のほっぺたを指さして言った。

「鮎子と、うちの同好会の二枚看板だったの。二人を目当てに、ツーリングなんかまるっきり興味のないオトコどもが、どれだけ押しかけてきたことやら」

　周囲からやわらかな笑いが起きた。当のタシロケイコは、まんざらでもなさそうな顔で目を伏せている。

「そうですか。いいお話をありがとうございました」

　もう一度頭を下げ、手にしていたビールの空き瓶をがちゃがちゃと持ち直して、孝太郎は足早にその場を離れた。心臓がばくばく躍っている。

　タシロケイコ。大学の同好会仲間。それだけ手がかりがあれば、身元を突き止めるのは簡単だ。

　それだけじゃない。もっと凄《すご》い発見もした。

　――オレ、言葉が読める。

　一美のときは、相対して話していて言葉が見えた。ガラの場合は、銀の矢のような彼女の言葉が見えて、それからその言葉の意味が見えた。

そこからさらにもう一段階の変化、進歩だ。孝太郎は、タシロケイコの影のなかで形を持って動きまわり、うごめいている言葉の群れから、意味を読み取ることができたのだった。

もちろん、全《すべ》て完璧に、というわけではない。あの影のなかにいたのは、三十代前半の女性が、ここまでの人生のなかで経験し蓄積してきた言葉たちだ。借り物の左目を扱う初心者の孝太郎に、いっぺんに読み切れるわけもない。喩《たと》えるなら、雑音のひどいラジオに一生懸命耳を傾けていて、断片的な言葉をいくつか聞き取ったみたいなものだ。

だが、そうやって聞き取れたものは、それだけ強い言葉だと考えてもいいのではないか。

おケイ、と親しげに呼ばれた人形の女。

彼女のなかで何度も繰り返され、もっとも鮮明だった言葉がある。〈セイちゃん〉。呼びかけか、それとも彼のことを話題にしたおしゃべりの残滓《ざんし》か。セイちゃん。真岐誠吾のことだ。山科社長もそう呼んでいた。

それから、〈結婚〉〈愛して〉〈わたしだって〉〈嘘《うそ》つき〉〈だってしょうがない〉〈欲張り〉〈いい気味〉〈もう二度と〉

うごめく言葉たちのなかでひとかたまりになり、震えながら、絡み合ってはまたほどけながら、囁きかけてきた。訴えかけてきた。孝太郎の左目の奥に。

〈セイちゃんセイちゃんセイちゃんセイちゃんセイちゃんセイちゃんセイちゃんセイち〉

い、い、い、い、い、い、い、い、い、

あの女は真岐さんが好きなんだ。

理解の筋が通り、目の前が明るくなったような気がした。この解読、これによって一度に多くを読み解き、そこから得た情報を繋《つな》ぎ合わせる。それこそが、他人の〈物語を読む〉ことなのではないか。森崎友理子《もりさきゆりこ》が孝太郎にしたみたいに。ガラが都築にしたみたいに。

ならば、一人の人間について知り尽くすのに、これほど確実な方法はない。

あの女がやったんだ。

孝太郎の心臓はまだばくばくと踊り続け、左目の奥が燃えるように熱くなってきた。

社葬という形式をとらなかったので、山科社長の葬儀に参列した人びとは、会社関係者も社長の友人たちも、山科家の親族までもがごった混ぜになってしまった。そこでクマー東京支社で、弔問客のデータベースを作ることになった。

孝太郎は志願してその作成を手伝った。そして、易々《やすやす》と〈タシロケイコ〉の居所と連絡先を摑《つか》むことができた。本人が受付で記帳したカードを直《じか》に見たのだから、これ以上確実な入手ルートはない。

田代慶子《たしろけいこ》。右肩上がりのクセの強い筆跡だった。筆圧も強い。住所は東京都足立区《あだちく》。マンション名と部屋番号。電話番号欄には携帯電話の番号が記されていた。

通夜で会ったとき、彼女の左手の薬指に指輪がないことには気づいていた。こうした記帳カードに、家電話ではなくケータイの番号を書くということは、ただ独身であるだけでなく、家族と同居していない単身住まいである可能性が高い。

葬儀の翌日、孝太郎たちがデータベースの作成を急いでいる最中に、山科鮎子の死因が窒息死であることが報道された。紐状のもので首を絞められたのだ。血中から睡眠導入剤の成分も発見された。薬で昏睡《こんすい》させられ、絞殺《こうさつ》された後に十指を切断されたということだ。捜査本部は現在、山科鮎子の携帯電話の着信記録を調べるのと並行して、彼女が道玄坂下でタクシーを降りたあとの足取りを追っている。渋谷は繁華街だ。無数の監視カメラが存在する。そのどこかに、犯人と一緒にいる鮎子の姿が残っているかもしれない。

その映像が見つかれば、捜査は一気に進むことだろう。ぐずぐずしてはいられない。

だが、孝太郎は事前に、少しでいいから真岐と話をしたかった。真岐の口から、彼と山科鮎子と、田代慶子の交友関係について聞いておきたかった。

葬儀の後、真岐は三日間、クマーのどこにも姿を現さなかった。共同経営者として、婚約者として、事後処理に忙殺されているのだろう。

事後処理。女神が殺され、破壊されてしまった世界の後始末。

四日目の朝、今日も真岐に会えなかったら、諦《あきら》めて計画を実行しようと思っていたら、オフィスの出入口のパソコンにＩＤナンバーを打ち込んだところで、後ろから肩を叩かれた。

「おはよう。いろいろとありがとう」

振り返ると、スーツ姿で窶《やつ》れた顔の真岐が立っていた。山科鮎子が死んだとき、彼の半分も死んだ。残った半分も徐々に死にかけている。一秒毎《ごと》に、魂が一センチずつ死んでいる。

それでも、部下に「ご苦労さま」と言わず「ありがとう」という。死にかけていても、真岐誠吾は真岐誠吾のままだ。

「――おはようございます」

「キツかったろう。身体《からだ》、大丈夫か」

「オレより、真岐さんこそ」

孝太郎が慰めの言葉を探しているうちに、真岐は手を伸ばしてパソコンに自分のIDナンバーを打ち込んだ。

「コウダッシュ、泊まりが続いて、大学もだいぶサボったろ。家で叱《しか》られてないか？　釈明が必要だったら、いつでも声をかけてくれ。俺がご両親にお詫《わ》びに行くから」

何でそんな心配なんかするんだよ。

「親はわかってくれてるから、平気です」

「そうか」

真岐は顔をしかめてネクタイを緩めると、

「今日は銀行まわりでさ。一週間以上も続けてスーツを着るなんて、俺には前代未聞《ぜんだいみもん》だよ」

無理な――いや、孝太郎の目には無惨《むざん》に見える微笑みを浮かべて、真岐は自分のデスクへ向かおうとする。

「真岐さん」

呼びかける自分の声が、変に裏返ったのを感じた。

「お通夜のときに、社長と真岐さんの友達だっていう女性に声をかけられました」

重そうにふくらんだ書類鞄《かばん》を持ち替えて、真岐は足を止めた。

「大学のサークルで、社長と一緒だったって人です。ツーリング同好会」

ああ、あれ——というように、真岐の太い眉毛《まゆげ》が動いた。

「親しかった方たちですか」

「鮎子の友達だ」

「じゃ、真岐さんは、ツーリング同好会の方は？」

「鮎子に引っ張られて、何度か付き合って走りに行ったかなあ」

孝太郎は真岐の顔を見つめた。

「田代慶子さんって方を覚えてますか」

一瞬、真岐の目が泳いだ。

「タシロケイコ？」

空とぼけているようには見えなかった。

「——ケイコさんねえ」

また鞄を持ち替えて、首をかしげる。

「鮎子は、大学時代の友達と、ずっと仲良くしてたからね。おケイ、おケイって呼んでた——ああ、あの人かな」

思い当たったのか、うなずいている。

「何度か一緒に呑んだことがあるよ。細面《ほそおもて》の美人だろ」

「ちょっと目元がキツい感じで、化粧が濃かったけど」

「そうそう、化粧はいつもばっちりだった」

「お清め会場で手伝ってるとき、その田代さんに、あなたはクマーの人ですか、真岐さんは大丈夫ですかって声をかけられたんです」

そうかと呟き、真岐は目を伏せた。

「あっちこっちに心配かけてるな」

ありがとうと軽く片手を上げて、真岐は行こうとする。孝太郎は問いを投げた。

「どういう人なんでしょう。社長とはうんと親しかったんですか?」

孝太郎を見返った真岐は、うっすらと不審そうな表情を浮かべた。

「だから、仲はよかったみたいだよ」

「やっぱりネット関係の仕事をしてる人ですか」

「さあ……どうだったかな。俺は詳しく知らないんだよ」

真岐のスーツの内ポケットで、携帯電話の着信音が鳴った。孝太郎はうなずいて退き、自分の席に向かう。真岐は電話に出ながらデスクについた。

田代慶子と真岐誠吾は、直線では繋がらない。あいだに山科鮎子が入って、初めて交流が成立する程度の間柄だった——

〈セイちゃんセイちゃんセイちゃんセイちゃんセイちゃんセイちゃんセイちゃん〉

彼女の側には、あれほどの〈言葉〉があったのに。

——一方通行だったのか。

ただの思い込み？　こういうの、何て言うんだっけ？

横恋慕だ。そのとき、横合いからため息混じりの肉声が聞こえてきた。

「辛《つら》いね。こんな辛いことってないよ」

ドラッグ島の同僚で、近ごろよく顔を合わせるようになった女性社員だった。

「社長が亡くなって、真岐さんやっと、社内で〈鮎子〉って呼ぶようになった。もっと早くそうしてたってよかったのに」

言われてみればそうだった。さっきのやりとりで、真岐は何度〈鮎子〉と呼んだろう。

「犯人、早く捕まえてほしいよ」

いつもすっぴんの女性社員の、目元が赤くなっている。涙を指で拭《ぬぐ》ったせいだ。

「けどさ、それで裁判になったら、犯人の方はまた何だかんだ言い訳するんだろうね。

弁護団がついてさ。精神鑑定とかされちゃってさ。こンだけの事件だから」

連続切断魔だもんね。

「精神鑑定も一度じゃ済まなくて、何度も何度もやって、医者によって違う結果が出てきてさ。今からもう目に見えるみたいだよ」

孝太郎はうなずき、仕事に取りかかった。心のなかでこう応じながら。

——大丈夫ですよ。

田代慶子が自分勝手な言い分をまくしたてることはない。殺人の動機となるほどの強い渇望《かつぼう》を吸い取られた彼女には、もうそんな気力が残りはしない。素直に白状し、刑に服する。二度と、もとのような人間には戻らない。

その夜は、日付が変わるぎりぎり前に帰宅した。母・麻子《あさこ》が起きて待っていて、夜食の世話をしてくれながら、ひとしきり説教をした。孝太郎は神妙にうつむいていた。

「あんた、聞いてるの？」

突然、麻子がテーブルをばんと叩いた。母にこんな叱られ方をするなんて、中学生のとき以来のような気がする。孝太郎は手のかからない長男だったはずだ。

「うんうんって生返事してるけど、心はお留守じゃないの！　お父さんもお母さんも、一美だって、あんたのこと本当に心配してるの。心配だから怒ってるのよ！」

母の顔が目の前に迫っていた。テーブル越しに身を乗り出している。

その口元から、血のように赤い糸が垂れ下がっているのが見えた。麻子がテーブルについた片肘が、天板に影を落としている。その影のなかでうごめくものがあるのも見えた。

孝太郎はそれを〈読んだ〉。

「——母さん、今日、ハナコおばちゃんと喧嘩《けんか》したね」

麻子はぎょっとしたように目を瞠《みは》った。

「おばちゃんに悪気はないんだよ。粗大ゴミ扱いにしなくたって、あのくらいのゴミなら清掃車が持ってってくれるって思い込んでただけなんだよ。母さんは親切に注意したつもりでも、おばちゃんは気が強いから、素直に聞けないんだ」

園井《そのい》華子《はなこ》。美香《みか》のお祖母《ばあ》ちゃん。けっして悪いヒトじゃないけれど、ときどき厄介な、ゴーイング・マイウェイのお年寄り。

麻子は身を引くと、すとんと椅子に腰を落とした。両目は孝太郎に釘付《くぎづ》けのままだ。

「その話、一美に聞いたの?」

孝太郎は無言で母の顔から目をそらし、冷めてしまったお茶漬けの残りをかきこんだ。

「そんなはずないわよね。一美、とっくに寝ちゃってるもの」

独り言のように一本調子の呟きだった。

「ごちそうさま」

孝太郎は空になった茶碗《ちゃわん》と皿を重ね、席を立ちながら早口に言った。

「授業にはちゃんと出ます。社長のお葬式が終わったから、バイトの方も今までみたいなスケジュールじゃなくなるよ。そんなに心配しなくても、オレ、ちゃんとやってるから」

茶碗と皿を台所のシンクに運び、水を張った洗い桶《おけ》のなかに沈めた。そしてくるりと振り向くと、麻子がすぐそばに立っていた。

「わ！　何だよ」

麻子はまだ目を瞠ったまま、孝太郎を見つめていた。睨んでいるのではない。見据えているのでもない。見つめている。

「孝太郎、自分で気づいてる？」

母の問いかけは低く、その息にはコーヒーの香りがした。

「ときどき、あんたの左目が底光りするの。まるで目の奥に鉛が溜《た》まってるみたいに、変なふうに光るのよ」

非常に熱いものにおそるおそる触れるように、麻子は孝太郎の肘に手を置いた。

「どこか具合が悪いんじゃないの？」

孝太郎は母の瞳を覗《のぞ》きこみ、ゆっくりと微笑んだ。肘にあてられた母の手に、自分の掌を重ねた。

反射的に、母が手を引っ込めようとするのを感じた。我が子の手だというのに。三島麻子という一個の人間のなかにある動物的な直感が、抗《あらが》いようのない強さと正確さで、孝太郎の手の感触を厭《いと》うたのだ。

この世のものではないものと関わっている息子。

「どこも何ともないよ、母さん」

蛇口から水滴がぽつりと落ちた。それで我に返ったかのように、麻子が手を引っ込めて一歩後ろに下がった。

「オレ、もう寝るね」

階段をのぼり、自室に入ってドアを閉める。少しのあいだそのままじっと佇《たたず》み、目を閉じていた。

〈用意はいいか〉

左目のなかに銀色の光の粒がよぎり、孝太郎は顔を上げた。

ガラだ。どこにいる？

明かりをつけないまま、孝太郎は窓辺に寄った。レースのカーテンを引き開け、窓を開ける。

寝静まった家並み。深夜の住宅街。眠たげに灯る街灯。空にはまばらな星。梅雨入り前の、一年でいちばん爽《さわ》やかな季節。

〈おまえの決心は変わらないか〉

変わらない。声に出して、孝太郎は呟いた。「用意はできてる。明日、決行だ」

沈黙がきた。

〈ならば　私はおまえと共にある〉

私を探すな。ガラの声。輝く銀砂のような光の粒。聞こえてくる言葉の輝きの響《ひび》き。

それは心を表し、伝えようとする意志の力だ。

〈私はおまえの影だ　おまえと共にある〉

存在するが実在しないものが、孝太郎に寄り添う。存在するが実在しない〈領域《リージョン》〉が、孝太郎のいる現実に重なる。

〈おまえは私の影だ　私と共にある〉

わかった、と孝太郎は答えた。

──力を貸してくれてありがとう。

ややあって、ガラは続けた。

〈おまえの獲物を夜の闇へと導け〉

「それだけでいいんだね？」

返事はない。孝太郎は了解を示すために、一人でうなずいた。

そのとき、聞こえた。

〈おまえは後悔する〉

光の粒は見えなかった。今の言葉は、闇にまぎれる漆黒の霧だったのかもしれない。

3

〈ヴァンドーム足立第二キャッスル〉

単身者向けの、見るからに安っぽい賃貸マンションに、ご大層な名称。それがかえって安っぽさを強調している。その二〇一号室が、田代慶子の住まいだった。

入口はオートロックになっている。管理人は常駐していないらしく、管理室の小さな窓にはカーテンがかかり、管理会社の連絡先を記した札がかけてある。こっちにとっては好都合だ。

エントランスの奥に並んでいる郵便受けには、「TASHIRO」の表示が出ていた。インターフォンで、試しに201を押してみる。応答はなかった。

午前中の授業に出て、学食で昼食をとると、孝太郎はここへやってきた。最寄りの地下鉄の駅から、徒歩でほぼ二十分。近所には民家とマンションとコンビニがちらほら。ごみごみと建物が多い割には生活感が希薄な地域だ。

いつものリュックは駅のコインロッカーに置き、必要最小限のものだけをジャケットのポケットに突っ込んで、百円ショップで買った伊達《だて》眼鏡をかけ、黒いキャップをかぶる。このキャップも大学の近くにある量販店で調達したものだ。

そのスタイルで、孝太郎は近所を歩き回った。田代慶子を呼び出すのに都合のよさそうな場所を物色しつつ、防犯カメラが設置されていそうなポイントもチェックした。

決行は、夜になってからだ。獲物を夜の闇へと導く。田代慶子をマンションから連れ出し、町の灯の届かない闇にまぎれる。都内では難しいことだろうが、それが孝太郎の役目だ。

——そのあとは、ガラが何とかしてくれる。

普通の犯罪計画だったら、笑ってしまうくらいずさんだ。だが、この件は頭からしっぽまで〈普通〉じゃない。

ヴァンドーム足立第二キャッスルから五〇メートルほど離れたところに、手頃な空き地があった。〈建築計画のお知らせ〉が掲示されている。新たなマンションが建つようだ。まだ地ならしの段階らしく、資材は見当たらない。敷地の端に作業用のプレハブがぽつりと建ち、その脇《わき》に仮設トイレがふたつ並んでいた。敷地の周囲はロープで囲われているだけで、フェンスはない。周辺からの見通しはいいが、プレハブとトイレの陰に入ってしまうと、すぐ横の一車線の道路からは見えないし、空き地のそちら側の隣はトタン葺《ぶ》きの古い屋根が傾いた金属加工工場だ。これだけ住宅の多い場所で、夜間は操業しないだろう。

よし、ここでいい。心を決めると、いったん駅前に戻り、リュックを出して、コーヒーショップを見つけてノートパソコンを広げた。田代慶子のブログに新しい書き込みがないかチェックする。

彼女が利用しているソーシャル・ネットワークのシステムはセキュリティが堅く、指定された場所をクローリングするだけの孝太郎の腕前では覗《のぞ》くことができなかった。仮にできたとしても、今まで一度もクマーの監視対象になったことのない、筋のいいSNSをなぜ独断で監視《ウオッチ》したのか、前田島長に言い訳しなくてはならなくなる。

そこで一計を案じ、一昨日《おととい》の午後のシフトのとき、クマーが山科社長追悼のために設けた公式ホームページのメッセージコーナーに、こう書き込んでみた。

〈葬儀のとき 大学時代の同好会のメンバーの皆さんが集まって 社長を偲《しの》んでいました 僕らの知らない 社長になる以前の山科鮎子さんの素顔を思って いっそう悲しくなりました ツーリング同好会の皆さん あのときお会いしたクマーの者です ご会葬ありがとうございました M〉

すると、手品のようにたちまち反応があった。田代慶子本人から、メッセージが返ってきたのだ。

〈あのときのツーリング同好会の者です おケイです メッセージありがとう〉

自分のブログに鮎子の思い出を書いて、昔の写真もアップしてあるから、クマーの皆さん、よろしかったら見てください――

願ってもない展開だった。孝太郎はこのことを、ドラッグ島の同僚たちにも話した。カナメにも報《しら》せた。マコちゃんがちょうど居合わせたので、二人で一緒におケイさんのブログを訪問した。

「社長、若いときには可愛《かわい》こちゃんタイプですね。今の方が美人だった」

アップされている数々の写真を目に、マコちゃんは半泣き顔になった。

「歳《とし》を重ねて美人になるって、すごいことですよね。社長がどれだけ立派な生き方をしている人だったかって、証明してます」

マコちゃんと話を合わせながら、孝太郎は、そこに書かれているきれいな思い出話に、嘘《うそ》と粉飾をかぎ取っていた。過剰なセンチメンタリズムが鼻をつく。この女が社長を殺した犯人だと知らずに読んでも、同じように感じたはずだと思った。オレはマコちゃんほど世間知らずじゃないからさ。

田代慶子はクマーの様子を覗《うかが》っている。つまり真岐誠吾の様子を覗い、近づく機会を狙っている。

どれほど図々《ずうずう》しい人間であっても、人を殺した後だ。心に動揺がないわけがない。一方で怯《おび》えてもいる。

身の回りに何か変化があれば、敏感に反応するだろう。誰かに疑われていないかと、ビクつかずにはいられないからだ。罪ある者は追われずとも逃げ、そして後ろを振り返る。

それ故《ゆえ》に、自分はまったく疑われていない、ただ故人の友人の一人として、故人を悼《いた》み偲ぶ人びとの輪のなかに安住していると感じられるような〈餌《えさ》〉を鼻先にぶら下げてやれば、飛びついてくるはずだ。

ひとつの店には一時間以上留まらず、地下鉄で駅をいくつか移動することも挟んで、センチな思い出話の陰からチラチラ覗く田代慶子の自己顕示欲に辟易《へきえき》しながら、午後五時過ぎまで時間を潰《つぶ》した。そして、事前に下見しておいた駅構内の公衆電話に近づく。

常識的な一人暮らしの女性だったら、携帯電話が鳴り、〈公衆電話〉と表示が出たら、ほぼ確実に無視する。応答しない。しつこくかかればかかるほどに警戒する。

だが、今の田代慶子は〈普通〉ではない。孝太郎の計画が普通ではないように、今の彼女は人並みの人間ではない。

邪魔者を消すという目的を達して、狂喜し勝ち誇りながら、怯えている。自分はどこかでボロを出していやしないか、と。

そんな心理状態なら、どこの誰がどこからかけているか判然としない電話でも、いやそんな電話であればこそ、必ず出る。

呼び出し音が鳴り始めた。

田代慶子が山科鮎子と同じような多忙なキャリア女性であっても、夕方のこれくらいの時間帯には、一度ぐらい自分の携帯電話をチェックするだろう。山科鮎子とはまったく違う、毎日定時に仕事が終わるような仕事をしているなら、なおさらだ。アフターファイブこそが一日の華だろうから。

呼び出し音が三度鳴って、電話がつながった。孝太郎は息を詰めた。

「――もしもし？」

用心深くひそめた声だ。

田代慶子は食いついた。一瞬だけ強く奥歯を噛《か》みしめてから、孝太郎は言った。

「突然お電話して申し訳ありません。株式会社クマー東京支社の三島と申します」

マンション建設予定の空き地の角に立ち、孝太郎は深々と頭を下げた。

「こんな遅い時刻に、恐縮です」

午後十時二十分。今夜は曇天で、北風だ。星も月も見えない。肌寒い。薄いジャケットを通して、孝太郎の身体に夜気が染《し》みいる。

田代慶子は着飾っていた。普段着ではないし、仕事から帰宅してそのままの出《い》で立ちでもない。モノトーンだが派手なプリント柄のワンピースに、黒いエナメルのハイヒール。アクセサリーは真珠で統一してある。山科鮎子の喪に服していることを示すつもりなのだろう。だが化粧はやっぱり濃いし、香水の匂いも強い。

「どうぞ、こちらです」

孝太郎はプレハブと仮設トイレのある方を軽く手で示した。

「本当に、お呼び立てしてすみません」

頭を掻《か》いて恐縮するふりをしながら、ハイヒールを鳴らして近づいてきた田代慶子と並んだ。こうしてみると彼女は長身だ。七センチヒールを履くと、孝太郎よりもわずかに高いくらいだ。

「わたしはかまわないのよ。セイちゃん——真岐さんなら、うちに来ていただいても」

「いえ、でも、こんな時間に女性のお宅に上がり込むわけにはいかないですから」

「友達なんだから、いいのに」

たっぷりしたワンピースの袖《そで》が、彼女のウエストのあたりに影をつくった。彼女が〈友達〉と言ったとき、その影がうごめいた。

「お気遣いありがとうございます」

先に立って歩き出す孝太郎を引き留めるように、

「こんな暗いところに車を駐《と》めたの？」

「すみません」

「うちの前まで来たら？」

「それがその……」

孝太郎はまた頭を搔く。そうやって何か動作をしていないと、〈素《す》〉の感情が表れてしまいそうだった。この人殺し。つべこべ言うんじゃねえよ。

「真岐は今、マスコミに追われてまして。うっかり人目のあるところでお目にかかると、ご迷惑になるかもしれません」

薄暗がりのなかで、田代慶子の白目が光った。「マスコミに追われてる？　どういうこと？」

そして急《せ》き込んだように、「まさか、鮎子のことで疑われてるとでもいうの？」

マスコミに追われてる。たったそれだけの言葉に、一足飛びにそう問い返さずにはいられない。罪ある者の猜疑心《さいぎしん》。

「とんでもない！　そういう意味じゃありません」

孝太郎は大げさに両手を振ってみせた。

「山科社長はテレビにも出てましたし、いろいろ注目される存在でした。だから社長のご遺族や、婚約者だった真岐は、今もまだレポーターとかの格好の標的なんです」

「ああ、そういう意味ね」

田代慶子の両肩がすっと下がった。

「それなら仕方ないわ。でも、わたしは本当にかまわないのよ」

その口元に歪《ゆが》んだ笑みが浮かんだ。パールをふんだんに含んだルージュに、濡《ぬ》れたように光るくちびる。あたかも吸血鬼のそれのように。

「もうちょっと先、あの角を曲がったところです」

ハイヒールの音が、すぐ後ろについてくる。

夕方五時過ぎの電話で孝太郎がまいた餌は、ざっとこの程度のものだ。

——株式会社クマーの三島と申します。副社長の真岐の命令でご連絡をしております。真岐が、故・山科社長と親しかった方々に、故人の遺品の形見分けをしております。つきましては田代様にも一品をお受け取りいただきたく、お届けに伺いたいのですが、よろしいでしょうか。何分、真岐は現在非常に多忙でして、今夜は遅くならないと身体が空きません。それでも、できるだけ早くお受け取りいただきたく、田代様のご都合さえよろしければ、十時過ぎにご自宅の近くまで、真岐がお伺いいたします。

——そうですか！　お受け取りいただけますか！　ありがとうございます。では、待ち合わせをさせていただけますか？　お呼び立てするのは恐縮ですが、田代様がお住まいのマンションの近くに、空き地がありますね？　はい、ロープで囲われている……はい、駅の方向へ五〇メートルほど戻ったところです。あのあたりでしたら車が駐められますので、真岐はそこでお待ちしております。はい、深夜ですが、田代様さえよろしければ、そこから別の場所へ移動いたします。山科社長を偲んで、少しのあいだお付き合いをいただければ有り難いと、真岐は申しております。

真岐、真岐、真岐。この女にとっては、ほかの何よりも美味《おい》しい餌だろう。セイちゃんが会いに来る。鮎子の形見分けだろうが何だろうが、どうだっていい。セイちゃんが会いに来る。形見分けは、もしかしたら口実かもしれない。だってその程度なら、代理人にやらせたって済むことだもの。郵送だっていいじゃないの。なのに、わざわざ会いに来る。

田代慶子の影のなかで、様々な言葉が踊り、のたくるのが見える。そしてあらためて思った。孝太郎の左目に見える――〈視《み》える〉言葉は、その人間の口から発せられた、音声としての〈言葉〉だけではない。願望、希望、祈念、妄想、猜疑、疑惑、恐怖。様々な心の動きが、その個人のなかでは〈言葉〉として存在し、蓄えられている。考えてみれば当然のことなのだ。人は、言語なしでは思考することさえできないのだから。

「形見分けの品って、どんなものかしら」

本人は気づいていないのだろうし、気づいても抑えようがないのかもしれない。田代慶子の声ははずんでいた。

「鮎子はセンスがよかったから、洋服でも、アクセサリーでも嬉《うれ》しいわ」

プレハブと簡易トイレが、夜の闇のなかでさらに暗く、切り取られたように浮かび上がってきた。その角を、孝太郎は曲がった。そして振り返った。

田代慶子が驚いたように立ち止まる。夜目にも肌が白い。真珠の装飾品も白い。

だが、その内側は真っ黒だ。罪の色だ。

「どうしたの？」

彼女の背後に、音もなくガラが降り立った。孝太郎は、ガラが地面から起き上がってきたような錯覚を覚えた。一瞬前までは影として地面に張りついていて、今、身を起こした――

「セイちゃんの車はどこ？」

女の問いには答えず、孝太郎は言った。「さあ、行こうか」

二人は、ガラの漆黒の翼に包み込まれた。


――ここはどこだ？

暗い。膝《ひざ》が痛いし掌《てのひら》がざらざらする。

この地面――いや、違う。打ちっ放しのコンクリートの色合い、何度か目にしたことがある。

　孝太郎は顔を上げた。

　ここはお茶筒ビルの屋上だ。夜空を背景に、西新宿の高層ビル群の窓明かり。頭上を仰げば重たげな雲。曇天のせいで、いつもはきらびやかな夜景が、曇りガラス越しに見るようにかすかに煙《けむ》っている。

　北風が屋上を吹き抜けてゆく。孝太郎は両腕をさすりながら立ち上がった。一メートルほど離れたところに、田代慶子が転がっている。長身を丸め、両手で顔を覆《おお》っているのは、ガラの翼に包まれたとき、とっさに身を守ろうとしたからだろうか。

　ガラは？　見回して、孝太郎は目をしばたたいた。

　漆黒の女戦士は、あのガーゴイル像があった場所に、ガーゴイル像と同じ姿勢でうずくまっていた。大鎌《おおがま》の柄を摑み、その先端の禍々《まがまが》しい半月を頭上に高く掲げている。

　今夜は月も星もない。お茶筒ビルの屋上に光源はなく、周囲には直《じか》にここを照らし得るほどの高さの明かりもない。

　だが、都会のど真ん中に真の闇《やみ》はない。ガラの姿も、無様に転がっている田代慶子も、孝太郎自身の身体も、おぼろな影のように見えている。

　小さくうめき声をあげて、田代慶子が目を覚ました。孝太郎が声をかけるまでもなく、すぐに飛び上がるような勢いで身を起こした。

「な、な、何？　いったい何なのよ？　ここどこ？」

譫言《うわごと》のように叫び、激しく身体を震わせながらぐるりを見回しているが、完全に目が泳いでいるようで、何も見えていない。

「ここどこよ！　助けて、誰か助けて！」

田代慶子が屋上の縁《へり》に突進しようとしたので、孝太郎は反射的に脚を出した。つまずいて転びかけるその身体を受け止める。

長身の女性は、意外に重い。危うく、一緒になって転んでしまうところだった。二人はもつれ合うようにしてたたらを踏み、田代慶子のハイヒールの爪先《つまさき》が孝太郎のスニーカーの甲を踏んづけた。

「あ、あなた――」

「大丈夫ですか」

自分でも驚くほど冷静な声が出た。

「慌《あわ》てないで、ゆっくり息をしてください。落ち着いて――立ったままだと、まともに風を受けて身体が冷えちゃうから、そのへんに座った方がいいですよ」

田代慶子は半ば孝太郎にもたれかかったまま、目を剝《む》いている。

「せ、セイちゃんはどこ？　あなたクマーの人よね。近くに車を駐めてあるんでしょ？」

「まあ、順々にご説明します。とにかく座ってください」

この屋上に、椅子《いす》やベンチの類《たぐ》いはない。もとからここにあった本物のガーゴイル像の破片が散らばっているだけだ。田代慶子は気味悪そうに身を縮めてあたりを見回し、像の破片のなかでも大きめのもののそばに、膝を折ってしゃがみこんだ。こういうとき、人は何でもいいから何かのそばに身を寄せたがるものなんだなと、孝太郎は思った。

不思議なのは、彼女がガラの存在に気づかないことだ。まだ目に入っていないのか。こんなにでっかいのに——と、うずくまっているガラに目をやり、孝太郎は危うく声を出しそうになるほど驚いた。

ガラじゃない。そこにあるのはガーゴイル像だ。

擬装。いや、この場合は擬態というべきか。孝太郎は瞬《まばた》きし、それでも足りずに指でごしごし目をこすってから見直した。やっぱりガーゴイル像だ。ガラはガーゴイル像に化けている。

つまりはこれが、都築が調査を開始する端緒《たんちょ》となった、身動きするガーゴイル像の正体というわけだ。

「ねえ、いったいどういうことなの？」

田代慶子は、体育座りをして両腕で膝を抱き、上目遣いに孝太郎を見上げている。

「セイちゃんはどこにいるのよ。鮎子の形見分けをしてくれるんでしょう？」

最初のパニックは収まったらしい。その口調はただ文句がましいだけで、怒りや恐怖の響きを帯びてはいない。孝太郎はよほど上手にこの女を騙《だま》したのか、それとも単にこの女に舐《な》められているのか。

ガラは、この局面で手を貸してくれる気がないらしい。私はおまえの要求に応《こた》えた。次はおまえが自分の仕事をしろ。ガーゴイル像になって澄ましているのは、そういう意味だ。

「三島君だっけ？　あなた、お使いボーイなんでしょ？　早くセイちゃんのいるところへ連れてってよ」

苛立《いらだ》たしそうに言い捨てたかと思ったら、田代慶子の声のトーンが明るくなった。

「それとも、これってサプライズの趣向？　セイちゃんがここに来るのかしら」

あらイヤだそうなのねと、勝手に納得して、あろうことかさらに声を弾ませる。

「セイちゃん、変わってないね。大学のころから、誰かの誕生日とか何かのお祝いとか、サプライズパーティをするの、すごく巧《うま》かった。演出上手なのよね」

孝太郎は彼女を見つめる。相変らず体育座りの姿勢をとっている、おぼろな影。その影の色が、少しずつ濃くなっていく。暗い灰色から黒へ。さらに深い黒色へ。田代慶子そのものが、暗黒の影になる。

しゃがんでいる死体袋。その内側で〈言葉〉がうごめく。骸《むくろ》にたかる蛆《うじ》のように。

孝太郎は右目を閉じてみた。目の前の光景は変わらない。左目を閉じてみた。真っ暗で、何も見えなくなった。

そうか。今、〈視えて〉いるのは左目だけだ。

「でも、早くしてくれないと風邪を引いちゃうわ。セイちゃん、どこに隠れてるの？」

「――田代慶子さん」

孝太郎の呼びかけに、田代慶子の形をした影が囀《さえず》るのをやめた。

「あなたが山科社長を殺したんですよね」

長身の女の形をした暗黒の影。闇の塊。夜風に髪がそよぐこともない。

「どうして社長を殺したんですか。社長が真岐さんと結婚することが許せなかったからですか」

あなた、真岐さんが好きなんでしょう――

そう問いかけたとき、田代慶子という死体袋のなかの、〈言葉〉という蛆虫どもが騒ぎ出した。孝太郎はそれを視た。視ているのに聴こえる。聴いたものが視える。

〈どうしてどうしてこのガキが知ってるの何でバレたのどういうことなのあたし何かヘマしたのどうしてこのガキあたしが鮎子をあたしはセイちゃんセイちゃんセイちゃんセイ〉

いったん強く目を閉じて、孝太郎は視えるものを心から閉め出した。そうしないと、立ったままともに嘔吐《おうと》してしまいそうだった。

「あなた、アタマおかしいんじゃないの？」

田代慶子という暗黒の影、言葉を詰め込んだ死体袋が立ち上がった。へっぴり腰で、頭を少しかがめ、すぐにも逃げ出せるように身構えながら。

〈バレるはずないのになぜこのガキ危ない〉

「証拠があるんです。言い逃れできませんよ」

中腰のまま、田代慶子の影が止まった。

〈バレるわけないあたしは安全誰にも疑われてない誰にもわからない本当のことなんかわかってたまるかだってだってだってだって〉

暗黒の影に、ぽっかりと二つの眼が開いた。蛆虫の腹のような白目。その腹に穿《うが》たれた底なしの穴のような黒い瞳《ひとみ》。その瞳が、射貫《いぬ》くように、挑むように孝太郎を見据える。

〈証拠なんかあるわけないわよ。あたしはそれほどバカじゃない。全部ちゃんと処分したんだから〉

孝太郎は胴震《どうぶる》いした。

——この女、認めた。

違う。田代慶子という人間が認めたのではないのだ。彼女の罪を知っている、彼女の〈言葉〉が認めたのだ。死体にたかる蛆虫が口を開いた。田代慶子という人間から生まれ出た罪の化身である蛆虫の証言。

「タクシーで移動中の社長に電話をかけて、道玄坂で待ち合わせしたあと、社長をどこへ連れていったんですか」

影は、死体袋は、ざわめく蛆虫は答えない。

「どこで殺したんですか」

無言の影に、孝太郎は首をかしげてみせた。

「あなた一人の力で、遺体を運ぶのは大変だったでしょう。でも共犯者がいたわけはないし、車を使ったんですね？　あなたの自家用車ですか？」

〈バレるわけない全部洗って捨てて処分し〉

「そうか、車のなかで殺したのかな？　道玄坂にも車で行った。社長に、車で迎えに行くって言ってあったんですね？」

どうやって殺したんですか。孝太郎の耳に、事務的に尋ねる自分の声が聞こえる。尋問に応じて、止まっていた影が動いた。田代慶子の手が、思わずというように自分の首を押さえた。

「首を絞めたんだね」

大学時代からの友人との待ち合わせ。彼女が運転する車。何を警戒することがあろう。山科鮎子は安心して乗り込み、寛《くつろ》いでいたろう。飲み物を勧められたら、喜んで口にしただろう。

「社長の指を切り落としたのは、連続切断魔の仕業に見せかけるためですよね？」

影は無言。死体袋の中身が答える。〈ぜんぶ捨てちゃった携帯電話も財布も誰も見つけられないあんなところ誰も探さない鮎子も捨てちゃえばよかったあの女のあの顔なんか〉

「さらに念を入れて、犯行声明文を作って、社長の遺品と一緒にメディアに送りつけた。そういうことですよね？」

影はまだ自分の首を押さえている。今、やっとその手が離れ、また影の一部に戻った。

「それとも、もしかして、あなた自身が本当に連続切断魔なんですか？　苫小牧《とまこまい》と秋田と三島と戸塚。以前の四件の殺人事件も、みんなあなたの犯行なんですか」

次の瞬間、出し抜けに、影は人間に戻った。死体袋から田代慶子に戻った。夜の新宿の街の片隅に立つ廃ビルの屋上に佇む、着飾ってハイヒールを履いた女。強い香水の匂《にお》い。

「あんた、バカじゃないの？」

それは田代慶子の肉声だった。〈視る〉のではなく、孝太郎の耳に聞こえた。

「イヤらしいこと言わないでよ。連続殺人なんて、何であたしがそんな変態みたいなことをやらなきゃならないのよ！」

さすがに、孝太郎はすぐ二の句を継ぐことができなかった。

「田舎の人殺しのことなんか知らないわ。あたしはただ便乗しただけ」

生身の田代慶子が、山科鮎子を殺したことを認めた瞬間だ。今度こそ本当に認めた。

この女が認めた。

〈言葉〉を詰めた死体袋としてではなく、一人の人間として、殺人者であることを認めた。

抗弁はまだ止まらなかった。何が気に障《さわ》ったのか、それともただ寒いのか、両腕をきつく身体《からだ》に巻きつけ、苛々と足を踏み換えながら、唾《つば》を吐くようにして彼女は続けた。

「どうせ、もう四人も殺してるんだもの。鮎子の分をかぶったって、大して変わるわけでもないでしょ。事件が派手になっていいじゃない。世間も面白がるし」

いい、いい、世間も面白がるし。

ああ、確かにそうだよ。みんな熱中してたからな。テレビの視聴者も、ネット市民も。真面目《まじめ》な人も不真面目な人も。賢い人も愚かな人も。みんな犯罪が大好きだ。

「――だからって、犯行声明文まででっちあげたのは、やり過ぎだ」

孝太郎の言葉に、田代慶子は動き回るのをやめた。訝《いぶか》しげにこっちを見る。

「何がやり過ぎなの？」

「あんなことをやったら、本物の連続切断魔が気を悪くするかもしれない。山科鮎子殺しは自分の犯行じゃないと、あなたに対抗してメディアにアピールしてくるかもしれませんよ。その可能性を考えなかったんですか？」

おぼろな影の田代慶子が、まじまじと孝太郎を見つめている。彼女の白目はそんなに白くない。さっき、暗黒の死体袋に開いた二つの眼は、彼女の内なる眼だったのか。魂の眼だったのか。蛆虫のように白い眼球は。

「——変態の人殺しが何をどう思うかなんて、知ったこっちゃないわよ」

犯行声明を出したのは、それらしく見えればいいと思ったから。ただそれだけ。

「本物の切断魔は、今まで声明文とかメッセージとか、何も出してなかったじゃない。だから、あたしが代わりに盛り上げてやったのよ。気を悪くされる筋合いなんかないわ」

孝太郎は黙っていた。正確に言うと、一時的に口がきけなくなっていた。

「鮎子は有名人ぶってたでしょ？　田舎の人間ばっかり殺してる切断魔には、手の届かない大物だったじゃない。その意味じゃ、あたしが骨を折って、切断魔に箔《はく》をつけてやったみたいなもんだわ」

何ほざいてンだ、この女は。

喉《のど》を締めあげられるように息苦しいと思ったら、孝太郎はこう問いかけていた。

「どうして、社長の指を——全部切ったんですか」

それまでの切断魔の手口とは違うことを、わざとやったのだ。そこには何か意味があったんだろ？ あんた、何か考えてたんだろ？ 頼むよ。

てんでおかしい。倒錯している。だが、拝むような気持ちになっていた。ちょっとぐらいまともに考えた結果の仕業であってくれよ。偽装工作であってくれよ。

「だって――その方が派手だし」

田代慶子はそう言った。

「やっぱりあたしもその場では取りのぼせていたみたい。何か、切ってるうちに興奮しちゃったしね」

孝太郎の身体の最深部で、何か芯《コア》のようなものが、ゆっくりと壊れた。

「あんた、捕まるよ」

自分の声に、耳鳴りみたいにかすかな金属音がかぶって聞こえる。理性の部品が欠けた音だ。欠けた破片は孝太郎という人格のいちばん深い部分に落下していって、あっちこっちにぶつかって雑音をたてている。

「今まで警察に目をつけられてないのが不思議なくらいだよ」

いや、実際問題としては目をつけられているのかもしれない。このアタマの中身が杜撰《ずさん》な女が気づいていないだけ。だとしたら、この女に接近する際に、慎重に手間をかけておいてよかった。

「何でそんなこと言うのよ」

田代慶子は口を尖《とが》らせて言い返してきた。

「あたしはちゃんとやったわよ。指紋とか残さないようにすごく気をつけたし、犯行声明文だって、筆跡も工夫したし、わざわざあたしにも鮎子にもゼンゼン関係のない場所まで行ってポストに入れたし」

言いたてる口調と表情に、〈殺人〉〈死体損壊〉という行為にふさわしい重みはなかった。

「あんた、どっかで目撃されてる。防犯カメラに映ってる。渋谷なんかにいたんだから」

田代慶子に言い聞かせるというよりも、自分の精神のバランスを保つために、孝太郎は言葉を続けた。

「社長と一緒に見られてる。どっかで映ってる」

「だったらどうだっていうのよ」

あたしはちゃんと髪型や服装を変えてた。車だってレンタカーを借りた——

「借りるとき、免許証はどうした？ 店員に、自分のを見せたんだろ。それとも偽造品を用意したのか？ あんたにそんなツテがあるとは思えないけど」

ちょっと怯《ひる》んだように、田代慶子は口をつぐんだ。

「あんた真性のバカだな。レンタカーだって、車種やナンバープレートから追跡できる。警察は、あっという間に借り手があんただって突き止めるさ」

そうなの？　あたしヘマした？　田代慶子の整った顔立ちが、不安に歪む。

憤慨や呆然《ぼうぜん》を通り越して、孝太郎はほとんど絶望に近いものを感じた。この女の雑な頭。バルサ材でできた模型飛行機より軽い知性と、蟻《あり》の心臓ほどのサイズもない良心。

オレの女神は、こんなクズに殺されてしまったんだ。

「だけどあたし、疑われるようなことは何もしてないわよ」

実にまっとうに心外そうに、このクズ女は言うのだった。

「鮎子とは仲良くやってるように見せかけてたし、セイちゃんとの関係は隠してたし」

心底、魂がでんぐり返るほど驚いたので、人格の深い部分でからんからんしていた理性の欠片《かけら》が、口から飛び出してしまった。孝太郎は、確かにそれを見た。飛び出した理性の欠片は宙で粉々になって消えてしまった。

「真岐さんとの関係だとぉ？」

　おまえと真岐さんにどんな関係があったっていうんだ。

「セイちゃんが本当に愛していたのはあたしなんだから」

　誇らしそうに顎《あご》を上げて、田代慶子は言い放った。

「ずっとそうだった。大学時代からずっとね。だけど鮎子がセイちゃんに寄生して離れなくって、セイちゃんは優しいから彼女を切り捨てることができなかった」

　だからあたしたち、一度は別れた――

「あたしは結婚したけど、セイちゃんは独身のままでいてくれた。あたしも、結婚してみてもっとよくわかったの。こんなことをして自分に嘘《うそ》をついても無駄だって。あたしが愛しているのは真岐誠吾だけだって」

　だから離婚した。三年前のことだ。真岐誠吾との〈関係〉も、そこで復活した。

「相変わらず、鮎子はあたしたちのあいだに割り込んで邪魔してたけど――」

　鮎子ったら、セイちゃんと会社なんか創《つく》って、そういう形でもセイちゃんを縛りつけようとしていたわ。でもセイちゃんはあたしを愛してた。だからどれほど鮎子に迫られても、独身を通してた。

　田代慶子は言いたい放題だ。孝太郎は、思わずまっとうに反論してしまった。

「二人はもうすぐ結婚するはずだったんだ」

「そんなの嘘よ！」

鋭い棘《とげ》が飛んでくるような反論だった。田代慶子の両目が吊《つ》り上がっている。

「鮎子の陰謀よ。セイちゃんは追い詰められて、助けを求めてた。だからあたしも、もう我慢ばっかりするのはやめなくちゃいけないと決断したの」

その言葉には力があった。もう寒がってもいない。活力に溢《あふ》れ、ほのかなオーラを放ち、その光に包まれている。

「あたしたち、そろそろ鮎子に優しくするのをやめるべきだ。彼女に、本当のことと直面してもらうべきときが来たと思ったのよ」

その言葉を、オレはそっくりそのまま、あんたの顔に投げ返したい。

孝太郎は悟った。目の前の女が身にまとっているのは、狂気のオーラだ。地に足のついた現実に裏打ちされた〈本当〉を直視することができずに、そのかわり、長い時間をかけて自分の願望を妄想へと育ててあげてしまった。彼女の内面でふつふつと発酵を続けてきた妄想は、いつしか彼女の心を取り込んで、彼女にとっては至上の美味に、しかし彼女の妄想の意に添わない者にとっては致命的な猛毒へと変化した。

それが動機だ。げんなりする〈本当〉が、ここにある。

真岐誠吾は、この女の執着と恋愛感情に、ほとんど気づいていないはずだ。気づいたとしても意識して無視したろう。それがまともな反応だし、普通はそれで済むものだ。大学時代から誠吾には鮎子がいて、二人はコンビでありカップルであり、周囲のみんながそれを知っていて、認めていたのだから。

田代慶子が割り込める隙《すき》はなかった。だから彼女は自分を隠した。本人のさっきの言葉を借りるなら、彼女が隠したのは「セイちゃんとの関係」ではなく、「あたしの本心」だ。

そして同時に、おケイは周囲の友人たちを騙した。なかでも山科鮎子には、けっして本心を悟られてはならなかった。

その偽装は、残酷なほど巧くいった。ずっと、ずっと続いてきた。

——友人に会うんです。

微塵《みじん》も疑わず、楽しそうな笑顔を浮かべて、電話に応じて行き先を変えた、おケイの友達の鮎子。

友人たちと通夜《つや》のお清めの席についているこの女は、まともな大人の女性のように見えた。孝太郎が何も知らず、ガラの目を分け与えられることがなかったら、この女は社長のよき友人にしか見えなかったろう。

鮎子と慶子を目当てに、男子学生がサークルに押しかけたという。美人で仲良しの女子大生の二人組。その二人の一方の心にこんな暗黒が宿り、悪性腫瘍《しゆよう》のようにだんだんと大きくなっていることを、いったい誰が知り得たか。

田代慶子本人にさえ、自分がいつ正気の岸を離れてしまったのか、覚えがないのではなかろうか。あたしはいつセイちゃんに惹《ひ》かれたのだろう。なぜ惹かれたのだろう。どうして諦《あきら》められないのだろう。セイちゃんに何を求めているのだろう。

そんなのどうでもいい。鮎子じゃなくてあたしを求めて、セイちゃん。

――渇望《かつぼう》。

孝太郎は理解した。

これこそが、人間を蝕《むしば》む渇望のなせる業《わざ》だ。

ほかのどんな力よりも大きく、強い。そう、良心よりも。

なぜなら渇望は飢えているからだ。その想《おも》いを抱く人間自身さえも喰らい尽くしてまだ足りぬほど、腹を減らしているからだ。

田代慶子のこの身体は、彼女の渇望に喰らい尽くされた残骸《ざんがい》だ。食べかすだ。

「――ガラ」

ガーゴイル像に背を向けたまま、孝太郎は呼びかけた。

「聞いてたろ？」

また膝を抱きかかえた恰好《かっこう》で、さっき自分が吐いた言葉の余韻に自分で酔っているのか、妙にしおらしいような、媚態《びたい》を含んだような目つきで孝太郎を見上げていた田代慶子が、瞬きをした。

「誰に話しかけてるの？」

孝太郎は彼女を無視した。「オレ、この女のオーラが見えてるんだけど」

田代慶子はきょろきょろしている。

孝太郎の左目に、ガラの〈言葉〉が視えた。

――おまえが視ているものは渇望の光だ。

言葉が聞こえて、孝太郎はうなずいた。

「そっか。これがあんたの集めてるものなんだな」

なるほど強い光だ。エネルギーだ。

肩越しにちらりと振り向いてみる。ガラはガーゴイルに擬態したまま動いていない。

「なあ、ガラ。この女はそのうち警察に捕まるよ。オレのいるこの国――この〈領域《リージョン》〉では、これほど杜撰な犯罪者が警察の捜査の網に引っかからないってことは、まずあり得ない」

当の本人は膝立ちになり、独り言を言っている孝太郎を、訝しそうに、気味悪そうに眺めて問いかける。「ねえ、大丈夫？」

オレは大丈夫だ。あんたは大丈夫じゃない。

「だからさ、ガラ。オレ、ひとつ心配なんだ。あんたがすっかり渇望をいただいちゃうと、この女は自分の気持ちを忘れちゃってさ。肝心の〈動機〉を失《な》くしちゃうんじゃないかな？」

取り調べの刑事も、それでは困るだろう。

――ならば、私にどうしろというのだ。

孝太郎は肩をすくめた。「悪い。ホントこっちの都合ばっかり言って悪いんだけど、ちょっと待っててもらえないかな。この女が逮捕されて、自分のやっつけた杜撰な殺人と死体遺棄の証拠を山ほど突きつけられて、自白するまで」

一度でも自白して、さっきここで孝太郎に向かってまくしたてたみたいな言い分を並べてくれれば、その後は借りてきた猫みたいになってしまってもかまわない。都築みたいに、牙《きば》を抜かれて長閑《のどか》になってしまってもオッケーだ。いっそその方が、この先もずっとこの女の自分勝手な思い込みと妄想を聞かされなくて済んで、楽かもしれない。

ガラが重々しく問い返してきた。

「おまえなんかの命を百個集めたって、山科社長の爪の垢《あか》ほどの価値もねえよ」

何から何まで。おまえという女が生きているということからして、ヘマだ。

一瞬、激情を抑えきれずに孝太郎は怒鳴った。「全部だ！　全部！」

「あたし、どんなヘマをした？」

「そんなことしないって。田代慶子さん、人の言うことを注意深く聞いてくださいよ。オレが何もしなくたって、じきに警察があんたのところに来るって言ってるだろ」

「あたしを警察に突き出そうっていうの？」

その雑なアタマを大事にな」

孝太郎は声を出して笑ってしまった。「別に何も。あんた、今のまんまでいいよ。

田代慶子の目が細くなる。「あたしに何をさせたいの？」

って、あんた、もうすぐ終わりだ」

孝太郎は殺人者に笑いかけた。「用は済んだ。帰っていいよ。オレが何もしなくた

た、こんなところで寝ぼけてないでよ」

ねえ、ねえってば。甲高《かんだか》く耳障りな声が割り込んできた。「三島君だっけ？　あん

「いい。この女には、いっぺんは今のままの状態で刑事に締めあげられて欲しいし」

——おまえはそれでいいのか。

命だけ永らえて、空っぽになって、刑務所で腐っていけばいい。

孝太郎は殺人者と睨《にら》み合った。

出し抜けに、田代慶子が吹き出した。手で口元を押さえ、身体を揺らして笑う。

「あのさぁ、三島君」

立ち上がると、馴《な》れ馴れしく近寄ってきて、孝太郎にしなだれかかろうとする。

「あんた、鮎子のために怒ってるの？　鮎子の敵《かたき》をとろうと思って、あたしをこんな場所に連れてきたの？　セイちゃんのために怒ってるの？　あたしが鮎子を殺してセイちゃんを苦しめたから？」

真岐誠吾を苦しめた？　何だよ、ちゃんと自覚があるんじゃないか。

「そうだよ」孝太郎は声を強めて応じた。「真岐さんも山科社長も素晴らしい人だ。おまえなんかとは比べものにならない――」

「ご立派ねぇ。えらいえらい」

田代慶子はへらへら笑いながら手を打って、孝太郎の言葉を遮った。

「言っとくけど、あたし、あんたには正直にしゃべったわよ。何でかわかんないけど……あんたの口が巧いせいかもね。でも、あんたもバカよ」

いいえ、浅はかというべきね――

「あんた、あたしが警察に捕まって、これこれこういう理由《わけ》で鮎子を殺しましたって
ぶちまけたら、あんたの素晴らしい真岐さんがどう思うか、ちゃんと考えてる？」
田代慶子は孝太郎との距離を詰め、呼気がかかりそうなほどの間合いに来た。その
瞳を覗《のぞ》き込み、その奥に黒い喜びの炎が灯《とも》るのを、孝太郎は確かに見た。
「セイちゃん、こんなことになったのは全部自分のせいだって思うでしょうねえ」
鮎子が惨殺《ざんさつ》されたことも。
鮎子を失ったことも。
「あの人、そういう性格なんだもの。あたしはよく知ってる。だからこそ鮎子に寄生
されちゃって、捨てられなかったんだし」
生真面目で優しい。自分の周囲にいる人間のことをよく観察していて、その人に必
要な気遣いを忘れない。その人の長所を見て取って、励ましてくれる。
——コウダッシュは、ちょっとだけど、世のため人のために働きたいと思ってる。
「もしかしたらセイちゃん、あたしがこんなことをしでかしたのも、自分の責任だっ
て思うかもしれないわね」
言葉の終わりの方は、孝太郎には聞こえなかった。血の逆流する轟音《ごうおん》で、耳が聾《ろう》さ
れていた。

田代慶子が真岐誠吾に抱いている想いは一方的で妄想的ではあるけれど、彼を正しく観察していることは認めなければならない。

悔しいけれど、酷《むご》いけれど、彼女の読みはあたっている。真相が明らかになったら、真岐は己《おのれ》を責めるだろう。自分が気づいているべきだった。田代慶子に対して何か手を打つべきだった。鮎子と早く結婚しておけば、こんなことにはならなかった、と。

ちゃらちゃらした笑みを浮かべて、田代慶子はしゃべり続けている。孝太郎の全身の血が轟《とどろ》き、逆巻き、もっとも血液を必要とするべきところからはどんどん流れ出してゆく。

心臓だ。孝太郎の心臓は温かな血流を失い、冷えてゆく。十分の一秒ごとに冷えてゆく。なのに鼓動はむしろ速まってゆく。凍りつきながら暴走してゆく。

「あんたの大事な真岐さんに、そんな辛《つら》い想いをさせていいの？　セイちゃんのこと尊敬してるんでしょ。だったら、セイちゃんが幸せになれるように、あたしに手を貸した方がいいとは思わない？」

あ、あ、あ、あたしを守ってよ。

「上手にやったつもりだったけど、いろいろヘマしてたみたいだから、あたし、ヤバいんでしょ？　あんたホントにそう思ってるわけよね？　だったら――」

孝太郎は叫んだ。「ガラ！」

理性でその言葉を選んだわけではない。子供が親に、暗いと怖いから灯りをつけてとか、窓に変な虫がとまってるから追い払ってとか、声を高めてせがむように、孝太郎は叫んだ。

「ガラ、こいつを始末してくれ！」

自分よりも強くて頼りになる大人に、ただただ助けを求める子供のように叫んだ。

「こいつを消しちゃってくれ！　丸ごと大鎌の餌《えさ》にしていい！　こんな女、この世にいちゃいけないんだ！」

出し抜けに、足元が揺れた。

巨大な、重たいものが足踏みをした。その震動が伝わってきたのだ。

ガーゴイル像が立ち上がっていた。

足元からゆっくりと――温められた血流が末端の血管から心臓へと環流してゆく速さで、その灰色の体色が変わってゆく。生々しい暗緑色。爬虫《はちゅう》類の皮膚の色へと。それに伴って、ただつるりとした金属か鋳物《いもの》のようだった表層が、生物の皮膚へと変化してゆく。変化しながら膨らんで大きくなってゆく。

無機物から有機物へ。置物から生きものへと変わってゆく。

その変化が腰まで達すると、身体の下側に巻き込んであった長い尾が現れて、蛇のように鎌首をもたげた。変化が肘《ひじ》まで達すると、両の拳《こぶし》が持ち上がった。さらに肩まで達すると、右手に握りしめていた大鎌の柄を持ち直し、頭上高く掲げると、剣舞を舞うように鮮やかに回し始めた。そのあいだにも置物から生きものへの変化は進行し、背中で一対の巨大な翼が広がる。その風圧をまともに受けて、孝太郎は思わず腕で顔を守った。

写真や絵で見るガーゴイルの翼は蝙蝠《こうもり》そっくりなのに、目と鼻の先のそれは、黒い薄絹をまとった骸骨の指のように見えた。その指が何かに触ろうと、羽衣のような薄絹の下で開いてゆく。何かに触れて、致命的な死穢《しえ》を与えようとするかのように。

首が、顎が、鼻が、そして最後には醜悪に尖った両耳の先端までもが、ぬるりと光る迷彩色に変化しきった。身の丈三メートルはあろうという魔物。

孝太郎も、田代慶子も声を失っていた。ただガーゴイルが降臨する様に魅入られていた。

また震動が来た。魔物が大きく一歩足を踏み出し、身を屈《かが》め、その醜い顔を突き出し、田代慶子に向き合った。金色の白目。その手にある得物《えもの》の先端に輝く白い刃《やいば》とそっくりの、鎌形の黒い瞳。

悪魔の眼。

一瞬の後、魔物が口を開いて咆哮《ほうこう》した。見事に生え揃《そろ》った牙が、夜目にも真っ白に光る。

魂消《たまげ》るような悲鳴をあげ、田代慶子が逃げようとした。だが脚が動かない。無様に尻餅《しりもち》をつき、両手を掻《か》いて後ろに下がろうと、少しでも魔物から離れようともがくだけだ。そして叫び続けている。言葉になっていない。ただの悲鳴。ただの絶叫。孝太郎は左目でその声を〈視た〉。

〈嫌だ嫌だ嫌だ怖い怖い怖い助けて助けて助けてセイちゃん助けてこれ何あたしはどうして嫌だ嫌だ嫌だ〉

魔物の巨体が軽やかに舞い、田代慶子に迫ると同時に、あの大鎌も躍った。弧ではなく、半円でもなく、宙に螺旋《らせん》を描いてつむじ風を起こしながら、田代慶子を刈り取った。

孝太郎は見た。両目で見えた。その刹那《せつな》、田代慶子のすらりとした長身が、ど真ん中で両断される様を。音はしなかった。血が迸《ほとばし》ることもない。今にも飛び出しそうなほど大きく瞠《みは》った目が、孝太郎の目と合った。そこに苦痛や恐怖はなかった。驚きがあるだけだ。

瞬きするほどのあいだ、彼女は真っ二つにされて、そこにいた。上半身は、魔物に魅入られて目を離すことができないまま、何とかして逃げようとじたばたしている。下半身は腰を抜かしてへたりこんだまま、ハイヒールが脱げかかっている。右のふくらはぎが、痙攣《けいれん》を起こしたのかひくひくと動くのが、妙にはっきり見えた。

次の瞬きと同時に、田代慶子は消え始めた。大鎌の刃に触れた断面から、極小の砂――いやむしろ霧だ。微細な水蒸気と氷の粒に変わって、魔物の大鎌の刃へと吸い込まれてゆく。消え始めて消え終わるまで、やはり瞬きするほどしかかからなかった。

孝太郎の脳裏を、場違いな回想がよぎった。幼い頃、一美が大好きだった絵本。ママが掃除機でお化けを吸い込んじゃった。お化けは燃やせるゴミかしら?

田代慶子は、家庭用の掃除機に吸い込まれたお化けのように、魔物の大鎌に吸い込まれて消えてしまった――

青白い閃光《せんこう》が走った。大鎌の先端の三日月型の刃が、生きもののようにさざめく。一度、二度、三度。さざめきの度に閃光が走る。刃の先端から末端へ。末端から先端へ。ある種の化学反応が進行中であるかのように。あるいはもっと生々しく、

――嚙《か》み砕いて呑《の》み込んでる。

田代慶子の渇望を。

閃光が止まった。魔物は大鎌の刃を見上げると、その柄をふるってまた螺旋を描いた。今度は自分自身の巨体を包み込む螺旋だ。

田代慶子のことばかり言えない。孝太郎もまた腰を抜かしていた。すぐ鼻先を、真冬の夜の蛍光灯のような青白い軌跡を描いて、大鎌の先端が通過した。

螺旋を描きながら、魔物はガラに戻ってゆく。漆黒の長い髪。一対の黒い翼の大きさはそのままだが、ガラのそれは夜の闇を飛ぶ鳥のものだ。黒い薄絹をまとった骸骨の指ではない。戦士の翼は、そんな忌《い》まわしいものに似ていてはならないのだ。

孝太郎はわななくように呼吸をした。肺が縮んでしまったのかと思うほど、息が吸えなかった。気管が喘鳴《ぜんめい》した。肩を上下させ、背中を丸めては伸ばし、それを何度か繰り返すうちに、少しずつ楽になっていった。

全身、冷汗でずぶ濡《ぬ》れだった。顔が濡れているのは、涙と涎《よだれ》のせいもあるかもしれない。

ガラは変身を終え、元に戻っていた。大鎌の刃を顔に近づけ、しげしげと検分している。

「——強い渇望だった」

それは孝太郎にもわかった。刃がひとまわり大きくなっている。鋭さも増したのではないか。先端に、北極星のような冷たい光を宿している。

「人殺しの渇望だからね」

吐き捨てて、孝太郎は立ち上がろうとした。脚が痺《しび》れて力が入らない。

ガラは大鎌を背中につけると、音もなく近寄ってきて、孝太郎に右手を差し出した。その手につかまって、ようやく立った。が、すぐよろけて膝《ひざ》をつき、また座ってしまった。

「ごめん。駄目だ、少し休んで落ち着かなくちゃ。オレ、けっこうショックを受けてるんだと思う」

ガラはうなずいた。

「あれが私の本来の姿なのだ」

その声――ガラの肉声が、初めて優しげに聞こえた。

「前に〈狼《おおかみ》〉に会ったとき、聞いたんだ」

――あの〈領域《リージョン》〉の存在が本来の姿形のまま現れたなら、普通の人間の目には怪物に見える。

森崎友理子とのやりとりだ。

「だから、漠然とだけど覚悟はできてた。そんなにビックリしないで済んだよ。ショックはそのせいじゃないってば」

それよりもむしろ不思議なのは、ガラの正体がガーゴイルそっくりであることの方だ。

「ガーゴイルって、オレたちのこの領域の、中世ヨーロッパで生まれた魔物なんだよ。あんたのいる〈言葉という精霊《すだま》が生まれ出《いず》る領域〉は、中世ヨーロッパと似た文化を持ってるのか？」

何か、疑似中世ヨーロッパが大繁盛《はんじょう》しているファンタジー小説や映画みたいじゃないか。

するとガラは微笑した。薄笑いではない。優しげな淡い笑みだ。

「順番が逆だ」

「え？」

「私の領域が先なのだよ。言葉の始源の領域が先にあり、そこに住まう我々の姿形を模して、おまえが住まうこの領域のガーゴイルが創造されたのだ」

想像上の魔物はたいていそうだ、という。

「この領域の人間たちの想像力に、他の領域の存在と接触したときの驚きや恐怖や畏《い》怖《ふ》の感情が加味されて、数多《あまた》の異形《いぎょう》のものどもを生み出してきたのだ」

善きものは神や精霊や妖精《ようせい》と呼ばれ、悪《あ》しきものは魔物や怪物と呼ばれた。

「そうなのかなぁ……」

ガラの〈領域〉は物語で作られた想像の産物だろ？　存在するけど実在しない場所だ。そっちの方が現実世界の文化より先だなんて、おかしくないか。

首をひねって、その拍子にひょいと足元に目をやったら、とんでもないものが見えた。孝太郎の脳が、見たと認識するのを拒否するようなシロモノだ。

ちっぽけな濃いピンク色のもの。この色は、田代慶子のネイルの色だ。

生爪が剝《は》がれて、落ちている。ガラから逃げようとして、でも腰が抜けて立てなくて、両手で地べたをひっかいていたときに剝げてしまったのだろう。

「おまえが持ち帰るといい」

頭の上に、ぬうっとガラの巨体がそびえていた。

「狩猟の記念だ」

とんでもない。こんなもの、触るのも嫌だ。記念品なんて要らない。何もなくたって、今夜の経験は忘れられない。

「あの女は——悪人だったよな？」

強い渇望故《ゆえ》に罪を犯した。孝太郎のいる現実世界という領域では、そういうことをする人間を悪人と呼ぶ。

「善悪を定義することは私の役目ではない」

ガラは素っ気ない。

「今になってそんな後ろめたそうな顔をするくらいなら、その左目を私に返せ」

ガラが指を伸ばしてきた。鉤《かぎ》のような爪の先端が、今にも孝太郎の左目に届きそうだ。

「今夜の仕儀でおまえの渇望はかなった」

山科鮎子を殺した犯人を突き止め、仇《あだ》を討ちたい。

「ここで手を引くがいい。不足はあるまい」

反射的に、孝太郎は手で左目を押さえて庇《かば》った。

ガラの言うとおり、目的は達した。用は済んだ。でも、でも——孝太郎はまだこの左目を使いこなせていないし、〈言葉〉を視《み》る力の全貌《ぜんぼう》を知ってもいない。

孝太郎は慌《あわ》てて尻で後ずさりをした。ガラの長い指が宙ぶらりんで静止した。

「田代慶子は連続切断魔じゃなかった」

それどころか切断魔をバカにしていた。

「オレ、あんたに取引を持ちかけるとき、〈連続殺人者《シリアル・キラー》の渇望を狩らせてやる〉って言った。でも田代慶子は違ってた」

本物の切断魔は、ほかにいる。今この瞬間にも、次の犠牲者を狙《ねら》っているかもしれない。

「約束したんだから、オレ、連続切断魔を見つけ出したい。必ず見つけ出すよ。あんたとオレならできる。な？　あんたもそう思わないか」

漆黒の女戦士は、暗黒の壁のように立っている。孝太郎の視界を遮り、立ちはだかっている。その抜けるように白い顔が、ひどく遠く見えた。

「な？　オレはあんたを手伝える」

「なぜ私を手伝いたいのだ？」

「だって約束したからさ」

「なるほど」

高く遠いところにある白い顔が、かすかに笑った。

「私との約束が、おまえの新たな渇望になったというわけか」

「だって、連続殺人者を捕まえようっていうんだぞ！　善いことじゃないか」

「渇望に善悪はない。だから私は善悪の判断をしない」

だが、おまえはそれでいいのか。

突き放すような問いかけと同時に、再び漆黒の翼が孝太郎を包み込んだ。孝太郎は闇《やみ》の奔流に呑まれ、きりもみ状態になって、どこまでもどこまでも押し流されていって――

家の前の路上に立っていた。

どこか近所で、窓際《まどぎわ》にラジオを置いて聴いている人がいる。五月末の夜気のなかに、零時の時報が涼やかに響きわたった。

身動きしたら目眩《めまい》を起こしそうな気がして、しばらくその場で静かに呼吸しながら佇《たたず》んでいた。すると視界の隅、道の向かい側の電柱の陰で、人影が動くのが見えた。

園井家の前だ。おばちゃんかな？　こんな時間にゴミを出すとまた揉《も》め事のタネになるのに。孝太郎が瞬《まばた》きして目を凝らすと、自然と足もちょっと動いた。

途端に、人影も反応した。電柱の陰から飛び出し、一目散に逃げてゆく。

とっさのことで反応できず、見送るしかなかった。背格好からして若い男のようだ。手に何か持っているようにも見えた。あんなところで何をやってたんだ？

ひょっとして、今の若い男、ガク先輩だったりして。女子人気大暴落の元モテ男、また美香にアプローチしてるとか？

そういえば、森崎友理子が言っていた。

――彼女を巻き込んでるトラブルは、まだ終わってないよ。

不審者が隠れていた電柱を、手で右目を隠し、左目だけで見てみた。電柱に巻きついて、銀の砂を散らしたようなものがうっすらと漂っていたが、みるみる夜気のなかに散ってしまった。あれ、〈言葉〉の残滓《ざんし》じゃないか。

だが今夜、さらに別の問題について考えるには、孝太郎はいささか疲れ過ぎていた。家の玄関に向かって足を踏み出すと、よろけそうになった。空腹で目が回る。

しっかりしなくては。狩猟《ハンティング》は続くのだ。強くならなくては。

三島孝太郎は、連続切断魔を追うハンターなのだから。

4

クマーの業務は平常に戻り、真岐も仕事に戻ってきた。復帰初日は小雨が降りしきっていた。誰かが「涙雨」だと言ったけれど、社長のための涙ならもうとっくに涸《か》れている。これはただの六月の雨。季節の雨に過ぎない。まもなく梅雨入りだ。

田代慶子を〈狩って〉から、一週間が過ぎた。孝太郎としては、息を殺して過ごした一週間だった。

しかしクマー周辺では、どんな形であれ彼女の失踪《しっそう》が問題になっている様子はない。

真岐に変わったところもない。緊張した分だけ、肩すかし感も強くなった。

警察は、田代慶子の存在に気づいていないのだろうか。あの雑な犯行声明に惑わされて、山科鮎子殺害は単独の事件であるということに気づいてさえいないのか。ならば、狩っておいて正解だった。警視庁の捜査力をあてにして、あの女を放置しておいたら、バカを見るところだった。

その日は午後三時からのシフトで、七時に夕食休憩をもらった。コンビニに行くつもりでエレベーターに乗り込み、ふと思いついて、孝太郎はB2のボタンを押した。

地下二階はクマー東京支社の心臓部だ。サーバールーム。大型コンピュータ本体が鎮座している。

孝太郎のIDカードでは、エレベーターホールから室内に通じる最初の関門、灰色にペイントされた金属扉を通ることさえできない。ドアの脇《わき》の壁にセキュリティ端末が設置されているだけで、狭いホールには装飾品のひとつもなく、椅子《いす》も置いてない。照明は薄暗く、エアコンが利《き》いていて肌寒い。でも、内部に入ると汗ばむという。二十四時間休むことのないスーパーマシンが熱気を排出しているからだ。

——この奥にあるマシンが、億単位、いや兆単位の数の言葉の流れを仕切ってる。

そのなかに、連続切断魔の言葉はない。今までは沈黙していても、田代慶子に勝手な真似《まね》をされてからは、真犯人として何か発言したくなってもよさそうなものなのに。社会を騒がせる猟奇犯罪に手を染める人間は、その手の歪《ゆが》んだ自己顕示欲が強いというのが、プロファイリングの基本じゃないのか。

クマーの皆も血眼《ちまなこ》になって監視《ウオッチ》し、捜している。それらしい書き込みを発見し、インターネット・ホットラインセンターへ情報を上げたことも数知れない。だが、みんな外れだった。私が犯人です。犯人を知っています。くだらないガセネタ、目立ちたがり屋の作り話、一見もっともらしい目撃情報はただの勘違い。善意の人びとが無意識に作りあげる、事件の間違ったディテール。

〈無駄だ〉

突然、左目にガラの声が視えた。孝太郎は驚きで声をあげそうになった。

「な、何だよいきなり」

監視されてるみたいじゃないか。

ガラの声、思考は輝く銀糸となり、孝太郎の左目の闇のなかを流れる。

〈ここにある膨大な流れ、言葉の大河のなかには、おまえが求める連続切断魔だけではなく、数多《あまた》の罪の声がある〉

声。思考。その人間の〈物語〉。足元にうずくまる黒い死体袋の中身。

〈そこを流れるたった一人の殺人者の罪など、私にも見分けがつかない。諦めろ〉

数多の罪。そんなにもたくさん、この世の中には悪が存在するのか。あるいは悪をもて囃《はや》す罪が。悪を気取り、悪を楽しむ罪が。

「あの女のときみたいに、こっちの手元に比較サンプルがあればいいんだよな?」

サーバールームの金属扉に目を据えて、孝太郎は低く呟《つぶや》いた。

「さもなきゃ、四件の事件の関係者をあたって、怪しい人間を見つけ出して、そいつの〈物語〉を読めばいいんだ」

物証も自白もなくても、ガラと孝太郎には、そいつが犯人だとわかる。

都築のおっさんが話してたじゃないか。連続切断魔は、被害者たちのごく身近な人物だ。そうでなければこの犯行はできない。なのに、飛び飛びに離れたところで〈連続〉していることが不可解なんだ、と。

さて、具体的にはどうすればいいのやら。

――結局、森永《もりなが》さんみたいに、足で歩くしかないのか。

〈狩人《かりゆうど》とはそういうものだ。獲物が残したかすかな痕跡《こんせき》を追跡する〉

言い捨てて、ガラの思考の銀糸は消えた。

だったら始めよう。もう、動き出してもいい。ロビーに戻ろうと踵《きびす》を返したら、エレベーターの階数表示ランプが点滅を始めた。誰か降りてくる。急いで階段室へ入った。

山科社長を失って以来、彼女がハイヒールの踵《かかと》を鳴らして行き来していたこの階段を使うことが辛くて、ずっと避けてきた。でも、そんな感傷にもここできりをつけ、封じ込めてしまおう。走って階段をのぼり、ロビーについたところで、ジーンズのポケットの携帯電話に着信があった。

噂《うわさ》をすれば影がさす。都築からだった。

翌日、午前九時のカドマ珈琲《コーヒー》店だ。まだモーニングを食べているサラリーマン客がいる。

「朝っぱらから悪いね。しかし、大学生ってのはヒマなんだな」

「ヒマじゃないですよ。都築さんが早い方がいいって言うから、授業を一コマサボったんですよ」

「サボりはいかん」

本日はけっこう授業が立て込んでいて、クマーに出勤するのは午後六時だ。正確には都築は、「早い方がいい、特に君がバイトに行く前に会いたい」と要請してきたのだった。

「お元気そうですね」

「うん。もうほとんど元通りだ」

腰にボルトが入っていることも忘れている、と言った。

頼んだアイスコーヒーが運ばれてくると、都築は椅子を引いて孝太郎との距離を詰めた。窓際の席が空《あ》いているのに、わざわざこんな隅っこに座ったのも意味ありげで、孝太郎も軽く身を乗り出し、声をひそめた。

「あの、何かあったんですか」

都築は、眉間《みけん》に浅い皺《しわ》を刻んでいる。

「私の記憶違いだったら、そう言ってくれ。君をクマーのバイトに採用してくれたのは、副社長の真岐誠吾という人だったよな。ネットパトロールの仕事が、君の気質にぴったりだと口説いてくれて」

そんな話、おっさんにしたかな。手術のあと、見舞いに行ったとき、渇望を失ってのほほんとしているおっさんと話が合わなくて、場つなぎにいろいろしゃべったっけ。

「ええ、そうです」

「君にとっては良き先輩で、恩人というか」

「そこまで大げさじゃないけど」言って、孝太郎はまた森崎友理子の言葉を思い出した。

「でもオレ、真岐さんからいろいろ影響を受けてると思います」

眉間の皺が深くなったかと思ったら、都築はグラスを持ち上げてがぶりとアイスコーヒーを飲んだ。

「私は余計なことをしようとしている」

棒読みの口調だ。

「情報漏洩《ろうえい》にもなるしな。だが、君はいい奴《やつ》だし、近ごろの若者にしちゃなかなかしっかりしている。うちの家内も褒めていた。だから余計なお節介をしてやりたい」

おっさん、何を言い出すんだ。

「昨日の昼過ぎに、昔の部下が、ひょっこりうちへ顔を出してくれてな」

仕事で近所に来たので、都築の見舞いに寄ったのだそうだ。

「帳場が立ってるんで、忙しくてずっと家に帰ってないと言っていた。墨田警察署に泊まり込んでるそうだ」

孝太郎は軽く目を瞠った。都築はその目にうなずきかけてきた。

「〈帳場〉ってのは、捜査本部のことだ」

「じゃ、その人は――」

「山科鮎子さんの事件を捜査している」

ちなみに遺留品捜査担当で、現在までにはかばかしい成果はあがっていないという。

「ただ、事件の筋道は見えてきてるというんだ。解決の目処《めど》がついた。それで、その」

ちょっと言い淀《よど》むと、つっかい棒が外れたみたいに一気に言った。

「そいつは私が退官する直前にきた新米でね。今も強行班じゃ若手の方だ。だから今度の展開で、いろいろ思うところがあったらしくてなあ。仲間内じゃそんな弱音は吐けないし、まあ、隠居した古狸《ふるだぬき》の私と、ちょっとしゃべりたくなって寄ったんだろう」

けっして口の軽い男じゃない、という。そして孝太郎の目を見た。

「君も口は堅いよな？」

「はい」

「私がこれから話すことを、胸のなかに収めておけるな？　私はその――」

余計なお世話だけれど。

「君がこの話を、ネットのニュースなんかで見る羽目になったら辛かろうと思っちまったんだ。テレビだってまた騒ぐだろうし」

何でだよ、おっさん。オレに、何が辛いっていうんだ。

「山科鮎子さん殺害は、いわゆる連続切断魔の事件じゃない。完全に単独の事件で、テレビ局に送りつけられた犯行声明は出鱈目《でたらめ》だ。山科さんを殺した犯人が、連続切断魔の仕業に見せかけるために偽装したんだ」

孝太郎は、驚いたふりをしようとも思わなかった。都築はそれを、驚きのあまりの無反応だと受け取ったらしい。

「藪《やぶ》から棒に、すまん。信じられんだろう」

信じる信じないの問題じゃない。おっさん、オレは知ってるんだ。

「犯人の目星はついてるんですか」

問い返すと、都築は孝太郎から目をそらし、またアイスコーヒーをがぶりとやった。グラスを手にしたまま、ひとつうなずく。

「山科さんの友人だ」

警視庁、こっちこそすまなかった。やっぱりちゃんと真相に迫ってたんだ。

「三島君。山科さんの事件は、じょ――いや、その、ええと」

都築は狼狽《ろうばい》している。

「あの事件の根底には、男女関係のもつれがあったんだ。三角関係が動機で」

「社長と、婚約者の真岐さんと、犯人の女の三角関係ってことですか」

都築は唸《うな》るように低い声を出す。「そういうことだ」

わかった。おっさんが「じょ」と言いかけたのは、「情痴《じょうち》の犯罪」だ。その言葉が嫌らしいから、慌てて言い換えたのだ。

でもおっさん、この件に、〈三角関係〉という表現はあてはまらない。田代慶子と真岐誠吾のあいだには、恋愛関係なんか存在していなかった。あの女の一方的な妄想があっただけだ。

「こういう真相は、誰にとっても酷《むご》い」

都築は、自分が酷い目に遭わされているみたいに苦しげに言う。

「いちばん辛いのは真岐誠吾氏だろうが、まわりの人間にとってもいたたまれないものだ。特に君は彼と親しいし、山科鮎子さんにもシンパシーを抱いていたようだからな。あれだけの才色兼備の女性だ。君が憧《あこが》れたって無理もなかった」

オレ、そんなこともしゃべったっけ。

「だから、その二人が生臭い三角関係で揉めていて、結果として山科さんが殺害されたなんて、君にはとうてい受け入れ難いだろう。その気持ちも無理もない。だから私は――」

余計なお節介で事前に情報を漏らし、孝太郎の衝撃を和らげようと思った、か。

思わず、孝太郎はにっこりした。都築の苦しげな表情が、明らかな不審に変わった。

「何が可笑《おか》しい？」

「いえ、可笑しくて笑ってるんじゃありません。感謝してるんです」

都築はゆっくりと目をしばたたき、そのまま凍ったようになった。

「君、さっき言ったな？　社長と真岐さんと犯人の女の三角関係、と」

孝太郎はうなずいた。こういうところは、おっさん、衰えてない。

「私は三角関係だと言っただけなのに、なぜ〈女〉だとわかるんだ」

「知ってるからです」

孝太郎はしゃべった。洗いざらい。

今度は都築の方が、ほとんど反応らしい反応を見せなかった。まさに驚き過ぎて、メーターの針が振り切れてしまったか。

孝太郎が話を終えたあとも、たっぷり三十秒以上、都築は無言だった。瞬きさえ忘れ、目を瞠《みは》って孝太郎を見据えている。

その尖《とが》った喉仏《のどぼとけ》がごくりと動いた。

「確かに、田代慶子という女性だ」

山科鮎子さんの友人――

「一週間前から所在がわからなくなっている。GPS機能付きのスマートフォンを持っているはずなのに、位置情報も出てこない」

そりゃ当然だ。田代慶子はもうこの世にはいないのだから。さりとてあの世へ行ったわけでもない。ガラの大鎌《おおがま》のなか。あれは何処《どこ》になるのだろう。異界か。異次元か。それともガラの〈領域《リージョン》〉に通じているのだろうか。

「職場も無断欠勤。実家には音信していない。ふっつりと姿を消した状態だ」

当然だけど、それって森永さんと同じだと、今さらのように孝太郎は思った。

「警察はなぜ彼女に目をつけたんですか」

やっと瞬きすることを思い出し、同時に現在進行中のやりとりが現実であることを確かめたくなったのだろう。都築はやたらと目をしばしばさせ、ついには手で顔を擦《こす》った。

「都築さん、田代慶子が容疑者として浮上した理由は何ですか」

「え？」

「オレ、質問してるんです。しっかりしてください」

（あこれは現実だ）と諦《あきら》めがついたのか、都築は手をおろした。

「――事件当夜、道玄坂を上った先のガソリンスタンドの防犯カメラに、山科さんと一緒に映っていたんだ」

軽乗用車に乗り、田代慶子が運転席に座っていたという。

「ガソリンスタンド？」

呆《あき》れ返ってしまい、孝太郎の声が割れた。

「あの女、まさか社長を助手席に乗っけたまんま給油したんじゃないでしょうね？」

「いや、交差点のそばのスタンドで、たまたま信号待ちしているところが映ったんだよ」

道玄坂の上で。まったく、社長をおびき出した待ち合わせ場所から遠く離れてさえいないじゃないか。

「オレ、言ったんですよ、あの女に」

――あんた、捕まるよ。

「絶対どこかで防犯カメラに映ってるぞって。でもあの女にはピンとこないみたいだった。あたし何かヘマやったのって、オレに訊《き》いたくらいですからね」

都築がゆっくりとかぶりを振っている。何を嫌がり、否定したがっているのだろう。

田代慶子の犯行の杜撰《ずさん》さか。それとも孝太郎の意地悪な口調か。

「オレがこんな話をしなかったら、田代慶子はもうすぐ山科鮎子殺害容疑で指名手配されることになってたのかな」

容疑者は行方不明。逃走中と思われる。

「それも見てみたかったけど、まあ、しょうがないや。都築さんもあの場に居合わせたら、きっと腹が立ってぶち切れちゃったと思いますよ」

傲慢《ごうまん》で居丈高《いたけだか》で自己中心的な、妄想の恋愛に浸りきっている女。しかも、冷静に考えてみるなら、もういい歳《とし》のおばさんだ。

「そういえば、あの夜どんな口実をつくって社長と会うことにしたのか、それは聞き出せないまんまでした。そんなタイミングがなくって」

都築がかぶりを振るのをやめた。凍ったような目をして孝太郎を見る。

「田代慶子は、二次会の幹事の一人だったそうだ」

「ああ、真岐さんと社長の結婚式の？」

じゃあその立場を利用して、相談したいことがあるとか何とか言ったのか。タクシーのなかで電話を受けた社長が嬉《うれ》しそうだったのも、上京して東京駅へ着いたばかりだったのに、すぐ落ち合うと決めたのも、用件が幸せなことだったからなのだ。

山科鮎子は〈おケイ〉の妄想に気づかず、無防備だった。田代慶子を信じ切っていた。

――幹事を頼んじゃうなんて。

社長、無防備に過ぎましたよ。

おまけに運も悪かった。あの夜、今夜は都合が悪い、疲れているからまたにしてくれ、二次会の相談ならセイちゃんも一緒に――どのパターンでもいい、何かしら別のリアクションを返していたら、山科鮎子は今も元気でクマーの非常階段を上り下りしていただろう。田代慶子は懲《こ》りずにまた付け狙うだろうけれど、少なくとも社長が独りでいて、翌朝までは一人きりになって、特に急な用事も仕事もなかったあの夜は、魔の夜だった。

封印したつもりの感情がさざめき、孝太郎の心をかき乱す。山科鮎子の思い出が、胸の奥いっぱいに広がる。

都築が何か言った。「――のか」

「何ですか」

都築はまだ凍ったような目のままだった。

「君は後悔していないのか」

間違ったことをしたとは思っていないのか。

「どうしてオレが後悔なんか」

「田代慶子という女性を、君一人の勝手な判断で裁いてしまったんだぞ」

孝太郎は肩をすくめた。「裁いたんじゃない。社長の仇《あだ》を討ったんです」

「ほう。誰かにそう頼まれたのか。鮎子の無念を晴らしてくれと頼まれたのか」

都築の目の底がかすかに光った。

「そんなわけはない。全《すべ》て君の一存だ。君が裁きたかったから裁いた。君がやっつけたかったからやっつけた。それだけだ」

言って、都築はどこかが痛むかのように顔を歪めた。

「彼女の言い分に一理ある可能性を考えなかったのか？」

孝太郎は呆れ返った。「一理あるって――」

「君は田代慶子と真岐誠吾の関係を、彼女の一方的な妄想に過ぎないと、頭から決めつけている。何を根拠にそう断じることができるんだ？」

「だって、そうに決まってます」

「君がそう思ってるだけじゃないか」

「真岐さんに訊いたら、田代慶子のことなんかゼンゼン知りませんでした。すぐには名前も思い出せなかったみたいで」

——あの細面《ほそおもて》の人？

孝太郎がそのやりとりを説明すると、都築の顔に冷笑が浮かんできた。

「そっちの方こそ真岐誠吾の芝居だったのかもしれんぞ」

田代慶子を知っているのに、知らん顔をした。それ誰？ ああ、鮎子の友達か。

「男と女のことはわからん。男同士、女同士の付き合いからだけじゃ、その男や女が異性に対してどうふるまうか、正しく見抜くことは難しいんだ」

ましてや君は若い、と言った。

「若いどころか、てんで子供だ。そんな状況下で、目をかけている後輩の君に、自分を尊敬しているとわかっている君に、〈田代慶子って、実は俺とワケありの女性なんだ〉なんて、正直に打ち明ける男がいるものか」

ちょっとのあいだ、都築がどういうことを主張しているのか、よく理解できなかった。理解が追いつくと、それを追い越すようにして怒りがこみ上げてきた。

「真岐さんはそんないい加減な男じゃありません！」

都築も声を強めて応戦する。「君にとっては誠実な人間で、良き先輩なんだろう。だが、男として女に誠実かどうかは話が別だ」

「真岐さんは山科社長を愛してました。都築さんが知らないだけだ。あの二人はずっと前から支え合って、苦楽を共にして、クマーをあそこまで育て上げて」

都築が遮った。「愛してない女と、成り行きで寝る男もいる。深い仲になった女でも、邪魔になったら邪険に切り捨てる男もいる」

孝太郎の視界が歪んできた。怒りの熱気のせいで、頭のなかに陽炎《かげろう》が立っている。

「何も知らないくせに――よくもそんなことを――」

「田代慶子は本当に真岐誠吾と付き合っていたのかもしれない」

都築は平然と言い募る。

「真岐誠吾は彼女に甘ったるいことを囁《ささや》き、山科鮎子と二股《ふたまた》をかけ、だがいざ人生を決める結婚となると、山科鮎子を選んだ。田代慶子には、鮎子が別れてくれないから仕方ないんだ、クマーがあるから仕方ないんだとか言い訳したのかもしれない」

田代慶子は傷つき、理性の箍《たが》が外れてしまった。何もかも鮎子のせいだ。鮎子が悪い。鮎子さえセイちゃんと別れてくれれば。

――鮎子はセイちゃんに寄生していて。

「そういう可能性もあったんだ。田代慶子は本当のことを言っていたのかもしれない」

あれは――少なくとも彼女の言《げん》の一部は、妄想じゃなかったのかもしれない。

「もちろん、だからといって殺人の罪が許されるわけじゃない。だが、彼女には彼女の言い分があったのかもしれない。君はその可能性を考えることさえしなかった。一方的な思い込みだけで、彼女を断罪した」

間違っている――と、都築は言った。

「うるさい、黙れ！」

気がついたら、孝太郎は立ち上がり、都築のシャツの胸ぐらをつかんでいた。カウンターの向こうでマスターが目を瞠る。「お客さん？」

孝太郎の顔を見据えたまま、都築が思いがけず太い声を出した。

「大丈夫ですよ。すみません」

孝太郎は都築のシャツから手を放した。その手がわなないている。

都築は椅子からちょっと腰を浮かせ、カウンターの方を振り返ると、

「若い子に説教するのは難しいね。怒らせてしまったよ。アイスコーヒーのお代わりをもらえませんか」

はいはい、とマスターは応じた。モーニングの時間が終わり、店内に他の客はいなくなっていた。

マスターが新しいアイスコーヒーのグラスを運んできて、空いたグラスを持ち去る。そのあいだ、孝太郎は押し黙って下を向いていた。去り際に、マスターが苦笑混じりの一瞥《いちべつ》を投げていったのはわかった。

「——もう、手を引きなさい」

都築は姿勢を正し、座り直していた。

「君はとんでもないことをやってしまった。これ以上深入りしてはいけない」

田代慶子を狩った直後、ガラにもそう言われた。ここで手を引くがいい。不足はあるまい。

いいや、不足だ。孝太郎はこの左目の力を使いたい。もっと使いたい。正しく使いたい。手放したくない。

狩猟《ハンティング》を続けたい。ほかの何よりも孝太郎がやるべきことであり、孝太郎でなければできないことなのだから。

「ガラと約束したんです。連続切断魔の渇望《かつぼう》を狩らせてやるって」

弱々しいため息が、都築の口から漏れた。

「やめなさい。絵空事《えそらごと》だ」

孝太郎は顔を上げた。「何が絵空事なんですか。ガラのこと？　人の渇望を吸い取って強くなっていく大鎌のこと？　この世界とは違う〈領域《リージョン》〉のこと？」

今度は、言い募りながら孝太郎の方がかぶりを振っていた。

「みんな絵空事なんかじゃない。今ここで、オレが体験していることなんです。都築さんだって知ってる。ガラに会ったんだから」

そして渇望を奪われた。だが記憶を抜き取られたわけじゃない。都築は覚えているはずだ。忘れられるわけがない。

孝太郎は手を上げて、右目を覆《おお》った。左目だけで、すぐ目の前にいる都築茂典《しげのり》という人間を見つめた。

そこには渦巻く言葉の混沌《こんとん》が座っていた。

淡く光る銀糸。鈍くかすむ銀糸。ときどき光る金色の糸。漆黒にうねる縄のように太いもの。都築の形をした暗闇、都築の影のなかに、無数の言葉が踊っている。

筋金入りの刑事の〈言葉〉。

それは記憶。それは体験。都築の人生の集積だ。それが騒いでいる。

孝太郎はその〈物語〉を読んだ。

「——都築さん。最近、会いましたね。名前を忘れちゃったけど、近所の人。年配の女の人で、倒れて入院して——亡《な》くなって——お茶筒ビルのガーゴイル像をとても怖がっていた人」

　都築は固まった。

「千草《ちぐさ》タエさんのことか」

　低く、かすれた声だ。ただ驚いているのではない。怯《おび》えている。

「そうそう、その千草さんの身内の人に会ったでしょう」

「──姪御《めいご》さんだ」

「都築さん、その姪御さんに謝ったんですね。おばさんが亡くなったのは自分の責任だって。自分が──」

「やめてくれ」

「千草さんを巻き込んでしまった」

「やめろ、若造」

　孝太郎は手を下げた。両目で見る都築は、にわかに老い込んだように背を丸めていた。

「これが、オレがガラにもらった力です」

　人の〈物語〉を読む力。

「都築さんがどんなに否定しても、今、これは現実に起こっている出来事なんです。

オレたちが生きてるこの世界で」

存在しているが実在していないものが、孝太郎たちに影響を与えている。

「逃げないで、手を貸してください。都築さんの渇望、少しずつもとに戻ってきてるように見えるし」

そうでなかったら、孝太郎にこんなお節介をしなかったろう。渇望を欠いていたときの都築は、日向《ひなた》の猫みたいに長閑《のどか》で満ち足りていて、他人のことなんかどうでもいいように見えた。

「オレが間違ったことをしてると思うのなら、そしてオレを止めたいのなら、手を貸してください」

矛盾している。自分でも可笑しくてちょっと笑った。

「都築さんの力が必要なんです。オレ独りだと、また間違うかもしれない。放っておけないでしょう？」

都築は孝太郎を睨《にら》みつける。孝太郎は臆《おく》せず見つめ返す。アイスコーヒーのグラスのなかで氷が溶けてゆく。

「ガラに会わせてくれ」と、都築は言った。「訊きたいことがある」

5

これで何度目になるだろう。お茶筒ビルの屋上から見渡す新宿の街の夜景。

都築の手術は大成功だった。初めてここで出くわしたときの、あのおぼつかない足取りはどこへやら、孝太郎の先に立って階段と梯子《はしご》をのぼった。少し息を切らしてしまうのはご愛敬《あいきょう》というところか。

もう寒さに身を縮める季節ではない。じっとりとした都会の夜気が蒸し暑いほどだ。なのに、都築が寒気を覚えているかのように両腕を身体《からだ》に巻きつけているのは、内心では密《ひそ》かに、ここへ来たことを後悔しているからかもしれない。

さっき、一階で孝太郎が通用口の扉を開けるとき、都築はぼそっとこう言った。

「その鍵《かぎ》を君に渡さなかったら、こんな羽目にはならなかったろうにな」

そんなの繰り言だと思ったけれど、孝太郎は黙っていた。

確かに、このお茶筒ビルは象徴的な場所だ。でも、孝太郎が心の底から願って呼びかけたなら、ガラは他の場所にでも姿を現したろう。

——戦士ガラ、取引を求める。

孝太郎の叫びを聞きつけたことだろう。

左目の闇のなかに、髪の毛ほどに細い銀色の糸がふわりと浮かび上がった。孝太郎が瞬きして振り返ると、屋上の縁《へり》の上に、ガラが優美に舞い降りてきた。

孝太郎の目配せに、都築はようやくそれに気づいて、ぎょっとしたように数歩後ずさりした。

ガラは孝太郎に目もくれない。都築を見つめて、静かに翼をたたんだ。

「何の用だ、老人」

都築が胴震いした。無論、今さらガラを怖がっているのではなかろう。ガラが事実だったことに怯えているのだ。孝太郎と共にしたあの経験は、全身麻酔による昏睡《こんすい》に誘発された奇っ怪な夢ではなかった。

しかも、自分はそれを覚えている。その事実に都築は戦《おのの》いている。

「こ、この子から聞いた」

都築は傍らの孝太郎に掌《てのひら》を向け、声を発した。いささか威厳に欠ける、上ずった声音だ。

「以前に会ったとき、あんた、私から何かを奪い取ったそうだな。まずそれを返してもらおう。話はそれからだ」

ガラは半眼になり、孝太郎へと視線を移す。

都築がいきなりこんなことを言い出すなんて、孝太郎にも予想外だった。

「渇望を返せってことですよ」

「言葉の意味ならわかる」

首をかしげて、ガラは長い黒髪を肩先から背中へと払い落とす。

「その要求の意味を教えろ」

都築が気色《けしき》ばんだ。「意味？　そんなもの決まっとるじゃないか」

「渇望を手放し、おまえは楽になったはずだ、老人。なぜ今さら進んで苦しもうとする？」

「それが人間というものだからだ！」

都築が本気で激するのを、孝太郎は初めて目《ま》の当たりにした。

「どんな厄介な感情だろうが、嫌な記憶だろうが、自分のなかに呑《の》み込んで、溜《た》め込んで、それと一緒に生きていくのが人間だからだ」

鼻息が荒い。階段で息を切らしていたときと同じぐらいぜいぜいっている。

「だいいち、俺は〈楽になりたい〉なんて願ってねえぞ。〈楽にしてくれ〉と、おまえに頼んだ覚えもねえ。勝手なことをしてくれやがって、俺はまるっきり平和ボケだった」

自覚があったのか。こんな自分はおかしいと、長閑な表情しか浮かばない顔や、どうやっても騒ぐこともない胸を不審に思っていたのか。

でも、やっぱりある程度は自然回復していたのだ。こんなふうに毒づく覇気が出てきたんだから。

「――それならば」

返そう。

ガラは、大鎌で斬《き》りつけるときと同じ俊敏さで、都築に向かって右手を伸ばした。

孝太郎はとっさに右目を閉じ、左目だけでその光景を見た。

ガラの右の掌の先端、揃《そろ》えた五本の指先から、眩《まばゆ》い光が飛び出した。少しずつ色合いの異なる縞《しま》模様の、光の刃。五色しかない虹《にじ》の一部を切り取って、ナイフを投げるようにそれを都築に投げつけたかのように見えた。

都築の形をした黒い影の心臓にあたる部分に、光の刃は突き刺さった。

瞬時に溶けて、都築の内部に渦巻く彼の〈言葉〉と混じり合う。と、それまで混沌としていた都築の〈言葉〉の集積が、ひとつひとつくっきりと浮かび上がり、似た形状のもの、同じ色合いのものはひとまとまりになって、彼の内側を巡り始めた。

全てが整然と一方向に巡っているわけではない。逆方向に回るものもあれば、上下運動を繰り返しているものもある。だが、光の刃を受ける以前よりは、ずっと活発になった。それらを内包する都築の影も、二本の脚でしゃんと立ち、肩を怒らせ頭を持ち上げている。

渇望が人間を〈人〉たらしめる。過去の経験と思考という言葉の集積を詰め込んだ死体袋ではなく、意志と意図を持つ生きものに。

都築は突き飛ばされたように激しくよろめき、その場に倒れこんだ。孝太郎が駆け寄り、助け起こすと、喘《あえ》ぎながら全身を震わせている。

右腕を持ち上げ、肘《ひじ》で口元を拭《ぬぐ》う。その満面に汗が浮いている。

「俺を引っ張って立たせてくれ」

顔を上げ、ガラを睨みつけると、孝太郎に言った。

「大丈夫ですか」

「いいから手を貸してくれ」

言われたとおりにすると、都築は立ち上がり、何度か足踏みしてから、大きくひとつ深呼吸をした。そして孝太郎に向き直ると、いきなり拳骨《げんこつ》で殴りつけた。

孝太郎の目から火が出た。倒れるほどではなかったが、よろけて片膝《かたひざ》をつきそうになる。

「な、何するんですか！」

都築は激怒の表情のまま、またガラへと視線を戻すと凄《すご》みのある声を出した。

「田代慶子をここへ戻せ」

ガラは腕組みをして平然と立っている。

「この小僧が勝手な真似をして、殺人事件の容疑者を消してしまった。こんなことは許されるべきじゃない」

都築は怒ったふりをしているのではなく、本気で怒っている。孝太郎も本気で驚いた。

殺人者に、その罪にふさわしい罰を与えたことのどこが悪い？　おっさんはそれを仕事にしてきた。罪を漁《すなど》る者なんだろ？

まるで孝太郎の心の声が聞こえたかのように、都築はこちらに目を向けた。

「こんな真似は、法治国家で許されることじゃないんだ。小僧、なぜそれがわからん？」

おっさん、小僧、小僧と言い捨てるようになった。まともにムッとして、孝太郎は言い返した。「何が法治国家だよ。おっさんは、田代慶子の言い分を聞いてやらなかったのが悪いっていうだけだろ？　盗人《ぬすっと》にも三分《さんぶ》の理《り》とか、人権派弁護士みたいなことをほざいてるだけじゃないか」

怒っていた都築の肩が、がくりと落ちた。険しく眉《まゆ》をひそめたまま、

「——君は変わったな」

嘆くように呟いた。孝太郎はわかりやすく口をへの字に曲げて応じた。本物の〈小僧〉なら、あっかんべーをするところだ。

「三島君は、どうやらおまえさんに感化されちまったらしい」

腕組みしたまま佇《たたず》んでいるガラに、都築はかぶりを振ってみせる。

「話にならん。だが俺は彼とは違う。田代慶子をここに戻せ。　我々の世界では、ああいう人間を公的な場できちんと裁きにかける。　私的制裁は認められない」

いつも表情の読み取りにくいガラの整った顔に、ほんのかすかだが、申し訳なさそうな、気の毒そうな色が浮かんだ。

「——あの女をここに戻すことはできるが」

「じゃ、さっさとやってくれ」

「おそらく、もとの姿を留めてはいない」

どういう意味だ。

「あの女の渇望は、徐々に強さを増しながら、長い間あの女を支配していた。私が発見したときには、渇望こそがあの女の実存になっていた」

孝太郎は思い出す。田代慶子の影という死体袋のなかでうごめいていた、無数の蛆《うじ》虫《むし》のような彼女の〈言葉〉。

「個の人間としてのあの女は、己の煮えたぎる渇望の容《い》れ物でしかなくなっていたのだ。だから私が渇望を抜き取ると――」

よりふさわしい表現を探すためか、ガラは少し考えた。

「中身を失った容れ物は壊れてしまった。そう言うしかないかな」

強い渇望を容れ、抑制し、内側からそれに圧《お》されていた、田代慶子という人間。

「強い渇望は、酸のようにその容れ物を浸食する。あの女は既に、そうとう傷んでいた」

だから保《も》たなかったのだ――という。

「死んだってことか」

「死んではいない。彼女の意志ある渇望は、私の大鎌のなかで生きている。恐ろしく強いエネルギーだ」

しかし身体はない。田代慶子は実在するものではなくなってしまった。

「ここに戻したところで、原形質のような不定形の塊が現れるだけだ。おまえたち人間——人類の進化の起点、始源の混沌のスープのような、どろどろした有機物の塊だ」

そして、ガラは孝太郎に問いかけた。「おまえはそんなものを見たいか。見て、確かめたいか。あるいはそれを踏みにじってなお罵倒《ばとう》してやりたいか」

都築に殴られた頬が痛む。それを手で押さえながら、孝太郎はまったく別のことを問いかけた。

「森永さんもそんなふうになってるのか？」

「彼は違う。渇望を背負ってはいたが、渇望に支配されてはいなかったから」

即答だった。孝太郎はほっとした。森永さんはどろどろの原形質になっちまったりしていない。

「じゃ、本人がこっちへ戻ろうと思えば戻ってこられるんだね？」

「彼がそう望むのならば」

この質問をしていいのかどうかわからない。自分が心底その答えを求めているのかどうか、確たる自信もない。

だが孝太郎は訊いた。訊くべきだと思ったから。

「森永さんも田代慶子みたいに、何かやったのかな」

ガラは答えない。腕組みを解き、ふわりと屋上の縁から降りると、そこへ腰掛けた。ガラがここで、ごく普通の人間のように座るのは、たぶん初めてだ。長い脚が余っている。

「何か悪いことをやっちゃって──最近じゃなくて昔のことだろうけど──それがずっと忘れられなくて、苦しくて、辛《つら》くて」

ガラに頼んで、この世から〈消して〉もらったのではないか。

「だから、森永さんの渇望は、過去を消したいとか、時間を戻してやり直したいとか、自分のしたことを許してほしいとか、そういうことじゃなかったのかな」

「なぜそう思う？」

問いかけるガラの口調は優しかった。

「オレの知ってる森永さんは、およそ〈渇望〉なんて言葉とは縁のないヒトだった。落ち着いていて理知的で、いつも親切で」

でも、誰にも気づかれぬまま姿を消しているホームレスたちを放っておけないと思うくらい、心の奥には熱いものを持っていた。

その熱さの源泉を、孝太郎は純粋な優しさだとばかり思っていた。でも違うのかもしれない。それは罪悪感ではなかったか。償いたいという想《おも》いではなかったか。

「森永君のことは、本人にしかわからん」

ぶっきらぼうに、都築が割り込んだ。

「本人が語らなかった以上、詮索《せんさく》しても仕方がない。本人にこっちへ戻ってくる意志がない以上、俺たちにはどうしようもない。それより」

「田代慶子のことはもう諦《あきら》めろよ、おっさん。戻せないんだ」

「小僧は黙ってろ」

「おまえは悔いていないのか」

ガラが孝太郎に問いかける。

「あの女がどうなったか知っても、後悔する気持ちはないか」

「後悔なんか、一欠片《ひとかけら》もあるもんか」

そうか、とガラは短く言った。

「私の予見は外れたな。この〈領域《リージョン》〉の人びとの物語を読むのは難しい」

「何が物語なんだか、どうやって読むのか、俺にはさっぱりわからん」

腹立たしげに都築が吐き捨てる。ガラは長い脚を組んで、あっさり言った。

「すまないな」

一瞬、その姿に山科鮎子がかぶって見えて、孝太郎は我が目を疑った。社長のすらりとした脚。美しい横顔。長い黒髪。息が詰まりそうなほどありありと、脳裏に蘇《よみがえ》る。

ガラに一歩近づき、今度は都築の方が腕組みをした。

「ガラという名前は本名なのか？　まあ、本名というのもおかしいか」

「私の本来の名前ではないが、この〈領域〉の言葉に置き換えると、この発音がいちばん近い」

「発音――ってことは」

上目遣いにガラを睨《ね》めつけ、都築は額に皺を寄せる。

「おまえさんの故郷というか、住処《すみか》だっていう言葉が生まれてくる世界には、その世界固有の言葉があるわけか」

いい質問だと、ガラは言った。

「我らは言葉を持たない。我らそのものが〈言葉〉だから」

「そういう返答で、俺を煙《けむ》に巻こうったって無駄だ」

「では、巻かれぬように用心することだ」

ちょっと楽しげだ。が、都築の放った次の質問で、ガラの微笑は跡形もなく消えた。

「おまえさんはなぜ、俺たち人間の渇望を集めてるんだ？　その大鎌は、渇望のエネルギーを吸い取ると強くなるんだってな。得物を鍛えて、何をしようというんだ」

元刑事、都築のおっさん。取り調べならお手の物だ。

「おまえに唆《そそのか》されて、ちょっと前まではどこにでもいる普通の若者だった三島君が、殺人行為に手を染めてしまった」

全部おまえの責任だ。ガラに指を突きつけ、都築は強く言い放った。

「違うよ、おっさん。オレはガラに唆されてなんかいない。自分の意志で――」

「ガキは黙ってろ」

若造で小僧で、とうとうガキか。

「さっきおまえさん、この子が後悔してないと、驚いてたな。バカも休み休み言え。この子が人を殺して後悔の念の一片も抱かないような人間になっちまったのは」

「そうだ。私がそうさせた」

その必要があったから――と、ガラは穏やかに言った。

ガラの必要。ガラの目的。孝太郎は今まで、深く突っ込んで問うたことがない。そんな余裕がなかった。ただただ、ガラの力を借りることしか頭になかった。

「私は戦わなくてはならないのだ。戦って、必ず勝たねばならない。そのために武器を鍛えている」

ほとんど薄気味悪いほど柔らかな口調で、ガラは都築に答える。

「誰と戦うんだ。戦争なのか？」

「私が戦うべき相手は〈門番〉。〈無名《むめい》の地《ち》〉を守る門番だ」

ガラの返事に煙に巻かれたりしないと言ったばかりなのに、おっさん、完全に巻かれてしまっている。

「な、何だそりゃ」

「無名の地っていうのは、物語の源泉の〈領域《リージョン》〉だよ」

全ての物語が生まれ、回収されるところ。

「なんで君がそんなことを知ってる？」

オレに嚙《か》みつくなよ、おっさん。八つ当たりだ。

「〈狼《おおかみ》〉に聞いたんだ。可愛《かわい》い女の子だったよ。大学に現れて、いろいろ教えてくれた」

都築はますます五里霧中らしい。

「三島君、正気か？」

「――彼は正気だし、本当のことを話してる」

新しい声が響いてきた。誰なのか、すぐに、孝太郎にはわかった。

「友理子ちゃん！」

最初の遭遇でも、彼女は現れ方も消え方も唐突だった。今度はもっと奇天烈《きてれつ》だ。お茶筒ビルの屋上の暗がりの一角、ガラとは反対側の端に、ありもしない扉を開けるようにして、彼女は突然現れた。ホログラムや幻のような、おぼろな姿ではない。生身の人間が、空間を飛び越えて出現した。そんな感じだ。そう、これこそテレポートってやつじゃないのか。

ガラは微動だにしない。一方、都築は腰を抜かしていた。

「ゆ、ゆ、幽霊か」

確かに、この出現方法は幽霊めいている。

「このビルには若い女性の幽霊が出るという噂《うわさ》があるんだ。だが、まさか――」

季節は移ったというのに、友理子の出《い》で立ちは前回とほとんど変わっていなかった。重そうな革ジャンとブーツ。つややかな黒髪を束ねたポニーテール。胸元で銀色に光る風変わりな形のペンダント。

愛らしい顔が笑って、都築に言った。

「わたしは幽霊なんかじゃない。生きている人間です」

「だが、ただの人間ではない」

ガラが口を開き、ことさらにゆっくりと言葉を発した。

その場で立ち上がり、一歩だけ前に出た。目は友理子を見据えている。計るような、探るような視線。

「おまえは〈狼〉だな」

「ええ、そうです」

「若いというより、まだ幼いが」

友理子は軽く首をすくめた。「はい。これがわたしの運命です」

都築はまだダメだ。目を剝《む》いている。孝太郎は彼のそばにしゃがみこみ、その背中に手を当てた。

そして友理子に、「そういう現れ方は、目撃する側の心臓に悪いよ。だいいち、どうやってあんな真似《まね》ができるの？」

友理子は平然と答えた。「あなたのリュックのなかの本の力を借りたの。このあいだ見せてくれた本、今も持ってるでしょ？」

園井美香の文庫本だ。『太陽の世界』。例のメモを挟んだまま、捨ててしまうこともできなくて、リュックの底に入れっぱなしにしてあった。

「あの本に呼びかけて、あなたがここにいることを教えてもらった。そして真っ直《す》ぐここに来られるように、空間を抜ける通路をつくってもらったの」

都築はさらにダメだ。目を剝いたまま首を左右に振り始めた。

「おっさん、しっかりしろってば」

「うう……うん？　おっさんだと？」

おっと、ショック療法になったらしい。

「誰がおっさんだ、失礼な！」

「だって都築さんも、オレのこと若造とか小僧とかガキとかいうじゃないですか」

友理子はくすぐったそうな顔で笑うと、すぐに真顔に戻り、重そうなブーツを持ち上げて、ゆっくりとガラに歩み寄った。そこで姿勢を正し、一礼する。

「わたしの名はユーリ。師匠は〈灰の男〉アッシュ。〈始源《しげん》の大鐘楼《だいしようろう》〉三之柱《さんのはしら》の守護戦士、ガラ殿。初めてお目にかかります」

ガラはまだ身動《みじろ》ぎせず、口を結んだままだ。

「わたしも身の程は心得ています。〈始源の大鐘楼〉の守護戦士が為《な》すことに、〈狼〉が手出しをしてはいけない。アッシュからも厳しく言いつけられていますから」

「――ならば、なぜ現れた」

孝太郎は驚いた。重々しく、居丈高でさえあるガラの口調。

「三島君を放っておけなかったから」

友理子も負けていない。声音は強い。

「ガラ殿。あなたがここで何をしようとかまいません。でも、何も知らない若者を巻き込まないでください。それは、神聖な大鐘楼の守護戦士としても、間違ったふるまいではありませんか」

「違うんだよ、友理子ちゃん」

いや、ユーリか。今の彼女は〈狼〉としてここにいる。

「ガラがオレを巻き込んだんじゃない。オレがガラに頼んだんだ。ガラはオレと取引して、オレの頼みをきいてくれただけなんだよ」

ユーリは孝太郎に向き直ると、急にくじけたような、悲しげな顔をした。

「あなたがそんなことを考え、ガラ殿に頼ろうとしたこと自体が、巻き込まれたということなのよ」

存在するが実在しないものに影響を受けている。

「ガラ殿の目的が〈無名の地〉に行くことであるとわかった以上、なおさら放ってはおけない。三島君、〈無名の地〉はあなたのような普通の人間が関わっていい場所ではない。関わったら、必ずよくないことが起こる。悲劇が起こるの」

孝太郎は思い出した。前回、ユーリは話していた。〈無名の地〉に行ったことがある。兄さんを助けたくて。

——お兄ちゃんはそこにいたから。

「悲劇って、君の兄さんのこと？」

ユーリはたじろいだ。孝太郎の問いに突かれたのではない。ガラを気にしている。

事実、ガラは軽く身を乗り出し、目を細めてユーリを見つめる。

「おまえの兄は〈無名僧《むめいそう》〉なのか」

ユーリは目を伏せる。

「答えろ、〈狼〉」

下を向いたまま、ユーリはうなずいた。

「はい。わたしの兄は無名僧になりました」

ですから、もう兄ではありません——と、小さく言い足した。

「兄の魂は大いなる物語の循環のなかで安らいでいます。わたしのもとに残っているのは兄の記憶だけです。だから——兄もわたしも、もう苦しんではおりません」

ガラは姿勢をもとに戻すと、あらためてしげしげとユーリを検分し、言った。

「話は聞いた。立ち去れ、〈狼〉」

諭すような言い方だった。

「ここにおまえの果たすべき役目はない」

「でも――」

「立ち去れ」

思い切ったようにポニーテールを大きく揺らして、ユーリはつかつかと孝太郎と都築に近づいてきた。膝をつき、目と目を合わせ、孝太郎の手を取った。

「お願いだから、わたしと一緒にここを離れて。ガラ殿とはこれっきり会わずに、今までのことは忘れて」

孝太郎はガラとユーリの顔を見比べようとした。ガラはこちらに背中を向けてしまった。

「今ならまだ間に合う。ね？」

孝太郎はごくりと空唾《からつば》を呑んだ。

「友理子ちゃん、〈無名僧〉って何？」

少女が顔を歪《ゆが》めるほどに、辛い問いかけだったらしい。それでも答えてくれた。

「無名の地で、〈咎《とが》の大輪《たいりん》〉を回している存在よ。大勢いる。数え切れないくらい大勢。もとは人間だった。だけどもう違う」

言い募り、だんだん早口になる。

「個々の人格も姿形も失って、黒衣の僧の姿に変わっている。一万人いても、たった一人。たった一人でも一万人。そして〈咎の大輪〉を回し続けている。これからもずっと、未来永劫《えいごう》、〈輪《サークル》〉が存在し続ける限り」

それはイコール、この現実世界が存在し続ける限りという意味だ。

「無名僧は、物語の罪を償う存在。彼らの一人一人は、かつて〈物語の罪〉を犯した咎人《とがびと》だった」

物語の罪とは、己《おのれ》の生をまっとうするのではなく、〈物語〉を生きようとして犯す過《あやま》ちだと、ユーリは言った。

「願望や渇望や欲望、怒りや嫉妬《しっと》や復讐《ふくしゅう》。そうした感情に突き動かされ、生身の人間としての日常より、この〈領域〉に流布《るふ》する〈物語〉の方を大事にして、それをかなえようとする生き方──」

そして咎人になってしまう。

「だから無名僧にされ、〈無名の地〉に封じられて、今度はわたしたちみんなの、全人類の物語の罪を背負っているの」

物語という──原罪を。

「たったひとつの救いは、〈無名の地〉には時間が流れていないということよ。永遠は一瞬に等しく、一瞬は永遠に等しい。ただ、それだけ」

話が途方もなさ過ぎて、理解がついていかない。いっぺん予習している孝太郎でもそうなのだから、都築はなおさらだ。さっきから、ただもう石のようになっている。

「ガラ」

ユーリに手を取られたまま、孝太郎はガラの背中に呼びかけた。

「そんな場所に、ガラはどうして行こうとしてるんだい？　それも、門番と戦って倒すなんて物騒なことをしてまで」

ガラは答えない。振り返りもしない。

ユーリが両の掌で孝太郎の頰を包んで、強引に彼女の方を向かせた。

「訊《き》いちゃいけない。知っちゃいけない。もう関わっちゃいけないの」

「ごめんよ」

孝太郎は優しく、だが断固として〈狼〉の少女の手を押しやった。

「ガラは正しく取引を果たしてくれた。でも、オレはまだだ。約束は守らなくちゃ」

「お願い」

ユーリの目は潤《うる》み、声が震え始めた。さっきとは逆に、今度は孝太郎が彼女の頰に触れて、そっと撫《な》でた。「心配してくれてありがとう」

ガラは背中を向けたまま、孝太郎たちのやりとりなどまったく耳に入っていなかったかのように、唐突に答えた。

「私は我が子を取り戻しに行くのだ」

孝太郎もユーリも、もちろん都築も、ぽかんとした。

「我が子オーゾも、〈始源の大鐘楼〉の守護戦士の一人だった。いつか私が力を失ったときには、私に代わり、我が分身であるオーゾが三之柱を守護する務めを果たすはずだった」

だが、彼は掟《おきて》を破った、という。

——息子なのか。

「その罪を問われ、〈始源の大鐘楼〉から〈無名の地〉へと追放された。我が子もまた無名僧になる」

みるみるうちに、ユーリの顔から血の気が引いていく。

「だから取り戻すっていうの？　無名僧にされた子供を、あなたが？」

「友理子ちゃん」

「無理よ！　そんなことできっこない！　誰にもできっこないのよ！」

「なるほど、おまえにはできなかった」

ガラの背中が厳しく断じる。声音は冷徹だった。

「一介の人間であったおまえには不可能な業《わざ》だった。〈狼〉となった今でも不可能だ」

「ええ、そうよ。だからあなたも」

「私はおまえとは違う」

叱《しか》りつけるように、ガラは声を強めた。そのとき、

「――そのとおりだ」

また、新しい声だ。今度は男の声。一拍遅れて、ガラの正面の屋上の縁《へり》にふわりと着地して、漆黒の影が現れた。

全身黒ずくめ。頑丈そうなブーツはユーリとお揃いだ。但《ただ》し、その身を包むのはくるぶしまで届く黒いマント。目深《まぶか》にフードをかぶっているので、顎《あご》の先しか見えない。それと、フードの縁から覗《のぞ》いて、その顎のあたりにかかるひと筋の白髪。

「アッシュ」

呟《つぶや》きと同時に、ユーリの瞳《ひとみ》に溜まっていた涙が一滴、頬を伝った。

「だから言ったろう。勝ち目はないと。もう諦めろ」

糸に引かれるように、ユーリがすっと立ち上がった。

アッシュと呼ばれた黒いマントの男は、屋上の縁に立ったまま、胸元に軽く手を当ててガラに礼を示した。

「俺もまた〈狼〉の一人。死者に親《ちか》しい者、名はディミトリ、通り名は〈灰の男〉。三之柱の守護戦士ガラ殿、お目もじを賜って光栄だ。弟子の狼藉《ろうぜき》をお詫《わ》びする」

低音。滑舌はいい。少しだけ嗄《しわが》れている。まるで不吉な囁《ささや》きのように。

裾長《すそなが》の黒いマントは、馴染《なじ》み深い死神のイメージそのものだ。ガラよりもそれらしい。だがこのアッシュという〈狼〉の得物《えもの》は大鎌《おおがま》ではない。ガラに礼を示すために腕を胸に当てたとき、マントの前が少し開き、鞘《さや》ぐるみの剣の先がちらりと見えた。この男は剣士なのだろう。

「いったいぜんたい……何なんだこりゃ」

質問というより憤懣《ふんまん》の呻《うめ》き声を漏らして、都築が両手で頭を抱えた。

「俺はどうかしちまったのか？」

孝太郎は言った。「オレもそんな気分ですけど、これは現実ですよ」

アッシュはけっして小柄ではない。普通の人間なら長身の方だろう。だが、彼が屋上の縁に立っていて、やっとガラと頭の高さが合うくらいだ。

「俺は〈狼〉の役分を心得ている。弟子にも常日頃からよく言い聞かせているのだが、なにしろこのとおりの跳ねっ返りでしてね」

フードに半ば顔を隠したまま、アッシュはガラに言った。口元が歪んでいる。だが、声は愉快そうに笑っている。

「これ以上無礼な真似はさせない。俺たちはすぐ消える。あとはご随意に、三之柱の守護戦士よ。しかし――」

少し首をかしげて、彼は孝太郎に眼差《まなざ》しを向けてきた。強い視線を感じる。

「〈輪《サークル》〉に生きる人間は、俺の弟子にとっては同胞であり、俺にとっては創造主だ。だいぶ混乱してるように見えるから、ひと言忠告を残していきたいが、お許しいただけるか」

ガラは壁のように直立している。背中につけた大鎌の刃《やいば》が、アッシュの問いかけを受けて鈍く光った。

「好きにするがいい」

アッシュは屋上の縁から降りてきた。ブーツの底に鋲《びょう》を打ってあるらしく、硬質の金属音がした。

「〈俺にとっては創造主〉って？」

孝太郎が尋ねると、ユーリは肩を落として突っ立ったまま、小声で教えてくれた。

「アッシュは、人間が紡《つむ》いだ物語のなかの登場人物なの」

「――へ？」

「架空のキャラクターということよ。想像で創《つく》られた世界の住人。でも、創られて存在する以上はそこも〈領域《リージョン》〉だから」

彼もまた、存在するが実在しないものだということか。

ユーリの傍らまで来ると、アッシュは足をとめた。影が落ちて、頭を抱えていた都築が顔を上げる。孝太郎は悪寒《おかん》に震えた。

何だ、この冷気は。死者に親しい者。そう名乗ったこの黒衣の男に纏《まと》いつく死の気配だろうか。

――忌《い》まわしいっていうのは、こういう感じのことなんだな。

ちゃんと影が落ちているのに、幽霊みたいだ。いや、だからこそ薄気味悪いのか。

実体を持つ幽霊だから。

「忠告というより、これは講釈かもしれん。一度しか言わんから、よく聞いてくれ」

アッシュの不吉な嗄れ声が呼びかけてきた。

「〈無名の地〉は禁忌の地だ。何人《なんぴと》も他の領域から立ち入ることはできない。彼《か》の地に行く者と留まる者は、すべて咎人《とがびと》のみ。大方の場合は本人の意志に反して連れて行かれ、逃げ出せない。そういうところだ」

フードに隠された両目が、孝太郎を凝視している。オレの物語を読まれているんだ。そう思った。

「わたしも、今のわたしのままであそこへ行ったんじゃないの」と、ユーリが言った。「少しのあいだだけ、あそこへ行く特別な資格を与えられた。今はもうその資格はないし、二度と得られる見込みもない」

黒いマントのフードがうなずいた。

「それで幸いだ。〈無名の地〉は孤絶《こぜつ》している。絶海の孤島よりも遥《はる》か彼方《かなた》に」

但し――

「唯一《ゆいいつ》の例外はある。それが〈言葉という精霊《すだま》の生まれ出《いず》る〉ところだ。物語の源泉である〈無名の地〉と、言葉の源泉である〈始源の大鐘楼〉は、一対の存在。どちらが先でどちらが後なのか、どちらが頭でどちらが尾なのか。判じることさえ無意味なほど代え難い一対であり、合わせ鏡のように、互いの存在を写し合いながら存在している」

だから、〈始源の大鐘楼〉からは〈無名の地〉へ至ることができる。

「この二つの地のあいだには階《きざはし》があり、〈始源の大鐘楼〉から〈無名の地〉へ赴くと、その入口にたどり着くことができる」

「そこに門があって、門番がいるんだね？」

孝太郎は問いかけ、アッシュはうなずいた。

「〈無名の地〉にひとつだけ存在する、外界に向かって開く門。ガラ殿が目指している場所だ」

そこでユーリが何か言いかけ、アッシュが手ぶりでそれを制した。

「お若いの。実は、それ以上の詳しいことは俺も知らん。俺たち卑《いや》しい〈狼〉は、〈無名の地〉にも〈始源の大鐘楼〉にも足を踏み入れることはできないからな。ただ、その門の名称が何というか、それだけは知っている」

〈悲《ひ》嘆《たん》の門《もん》〉だ。

「そこで何が待ち受けているかを知るごく限られた者は、古い書物のなかの一文を借りて、こう評している」

その門をくぐる者、すべての希望を捨てよ。

ユーリが深くうなだれ、目《め》尻《じり》に残っていた最後の涙が落ちた。

「そんな場所を目指すガラ殿についていくよりも、あなたにはあなたの身近で、もっと大事な、やるべきことがあるはずよ」

「――美香のこと？」

ずっと案じてくれている。

「ええ。でもミカちゃんだけじゃない。あなた自身を大切にすること。三島君、わたしはあなたが心配なの。今のあなたは兄さんと似てる」

無名僧とやらになってしまった、森崎友理子の兄。

「自分を見失わないで。三島君のそばで、あなたを大事に思っている人たちのことを忘れないで」

孝太郎はうなずこうとして、できなかった。かわりにこう言った。「オレはね、オレが大事に思っていた人のために、ガラと取引したんだ」

「その人の仇《あだ》を討つために、ね」

「うん、そうだ」

「だったら、もう終わったはずよ。ガラ殿も、あなたにそれ以上の約束を果たせと迫ってはいない」

連続切断魔の渇望《かつぼう》を吸い取らせてやる。

「約束に縛られてるだけじゃない。オレ自身のためでもあるんだ。オレ、連続切断魔を捕まえたいんだ」

久しぶりに自分にもストレートに理解可能な言葉が出てきたと、都築が素直にほっとした顔をしている。孝太郎はおっさんにもうなずきかけた。

「ガラの力を借りれば、きっと捕まえられる。その可能性があるのに、ここで逃げてしまえば、オレは残りの人生をずっと後悔して過ごすことになる」

連続切断魔の犠牲者を悼《いた》み、犠牲者の死に傷ついた人びとに詫び、思い切って一歩踏み出さずに背中を向けてしまった自分の臆病《おくびょう》さを呪《のろ》って。

「君たちだって、危険な写本を狩るのが仕事なんだろ？　似たようなものさ。ただオレは素人《しろうと》で、たまたま今その機会を与えられたってだけ」

「〈狼〉が狩るのは物語だ」

黒いフードの下で、アッシュが即座に言った。「命を狩りはしない。おまえはそこをはき違えている」

「オレは、放っておいたら他人《ひと》の命をどんどん奪い取る危険な人間を狩ろうとしてるんだ。何をどうはき違えてようと、間違ってはいないと思うけどね」

ユーリが一度、二度と強くかぶりを振り、

「違うのよ。三島君、それが間違ってるの。わたしの兄さんも――」

うおぉぉぉぉん。

出し抜けに異音が響いた。

孝太郎は耳を疑った。都築は「サイレンか？」と、いかにも元刑事らしいことを言う。

アッシュがさっと身構え、周囲を見回す。ユーリは目を瞠《みは》っている。

うおぉぉぉぉん。もう一度。さっきより近い。近づいている。でも、どこから？

孝太郎は屋上の上げ蓋《ぶた》に目をやったが、きっちり閉まっている。この手で閉めた記憶もちゃんとある。だったらどこだ？　ここは瘦《や》せても枯れても鉄筋コンクリート造り四階建てビルの屋上なのだ。

「そんな間の抜けた顔で驚いてみせたら、叱られずに済むとでも思うか」

黒いフードの奥から、アッシュがからかうような声をユーリに投げる。なぜか両手はマントの下だ。

「ごめんなさい。うっかりしてた」と、ユーリが苦々しい声で応じた。「ここへ来る通路を開いてくれた本に疵《きず》がついていて」

「フン。そうと知っていて使役《しえき》したとはな」

「これほどひどい状態だとは思わなかったんだもん。ねえ、三島君！」

「オ、オレ？」

「ミカちゃんのあの本、まだメモを挟んだままにしてあるの？」

「うん。誰かに見られたらまずいと思って」

うおおおおおん。さらに近づき、さっきまでと調子が変わった。野太い、腹の底に応《こた》えるような、これは異音じゃない。異声だ。動物の吠《ほ》え猛《たけ》る声だ。

「どうして取り出しておかなかったの？」

癇癪《かんしゃく》を起こしたみたいに、ユーリは甲高い声を出して孝太郎を叱った。

「そのまんまにしておいたから、疵から穢《けが》れがはびこって——」

吠え猛る声が迫ってくる。忙《せわ》しない呼気まで聞こえてくる。

「その臭《にお》いをティンダロスの猟犬に嗅《か》ぎつけられたんだ」

屋上の中央まで進み出ると、アッシュはひと動作で黒いマントを脱ぎ捨て、それを高々と投げ上げた。

「そいつをかぶって、身を縮めてろ！」

言い捨て、同時に両手で剣を抜き放った。その俊敏な動きとは対照的に、ガラがゆっくりと、いっそのんびりと言いたいほど長閑《のどか》な動きで背中の大鎌を構える。

そして中空の一点を見つめて言った。

「——来るぞ」

マント抜きでもアッシュはやはり黒ずくめで、剣士だという孝太郎の推測は、半分あたって半分外れた。彼は双剣使いで、その剣は鍔《つば》の後部に大きな鉤爪《かぎづめ》がついた異形の武器だった。そして、彼の通称〈灰の男〉の理由でありそうな、肩先にまで届く銀色がかった見事な白髪。

孝太郎が見たのはそこまでだった。都築と二人、頭上からすっぽりとアッシュのマントで覆《おお》われてしまったから。

「何だ、こりゃ」

「おっさん、動いちゃダメだよ！」

「何がおっさんだ」

「いいから、今はオレの言うとおりに」

ティンダロスの猟犬とやらは、単体ではなかった。群れだった。どの方角から現れたにしろ、大挙して押し寄せてきたことは明らかだった。マントをかすめて鼻息と足音が通り過ぎる。今、一匹が頭上を飛び越えた。ごく間近であの遠吠えがわんわんと響き、鼻が曲がりそうな異臭、獣臭《じゅうしゅう》があたりに立ちこめる。都築は孝太郎にしがみついてきた。

「す、済まんが俺は、今日のところはもう限界だ」

「オレもです。だからじっとしてましょう」

震動と物音だけで、何が起こっているにしろマントの外部は阿鼻叫喚《あびきょうかん》であることはわかった。ユーリの利用した通路を追いかけてきたという猟犬の群れは、返り討ちにあっている。だけどこいつら、斬《き》られたり叩《たた》かれたりしてあげる悲鳴も凄《すご》いし、なにしろ臭くて臭くて吐き気がしそうだ。

ユーリの声がした。何か呪文《じゅもん》を唱えている。と、マントのすぐ外側で猟犬が甲高い悲鳴をあげた。キャン！　というその声だけは、孝太郎が知っているこっちの世界の犬と同じだ。

孝太郎の背中に、猟犬の前足が当たった。三島家では犬も猫も飼ったことがある。肉球の感触なら知っている。

が、今の感触は初めてだったし、知らない方がよかった。纏わりつき、食い込んでくるような感触。次の瞬間にはきっと爪が食い込んでくる——

ぶん、と音がして、何かがマントをかすめた。また猟犬の悲鳴。ガラか、アッシュか。斬り捨ててくれたのだ。孝太郎は身を縮めて目を閉じた。

どれぐらい、そうやっていたか。

「もういいよ」

ユーリの声と同時に、黒いマントが取り除かれた。孝太郎が身を起こしたときには、アッシュはもうマントを着込み、フードもかぶってしまっていた。どうしても孝太郎たちに顔を見られたくないらしい。

「ぐげぇ」

都築が面妖《めんよう》な呻き声をあげてえずいた。孝太郎は息を止めて我慢していた。猟犬たちの姿は消えたものの、あたりには酸《す》っぱいような異臭が濃厚に立ちこめている。そこらにふわふわと漂っているのは、猟犬の毛だろうか。

「今、浄《きよ》めるから。ちょっと我慢してて」

ユーリは屋上の中央に立ち、両手を胸の前に合わせて一礼すると、きれいな声で呪文を唱え始めた。何度聞いても、どこの言葉なのか見当もつかない。耳慣れないというう以上の未知の言語だ。

「おまえたちのこの世界で、太古に滅びてしまった民族の言葉だ」

孝太郎の傍らに寄って、ガラが教えてくれた。

「あの娘は〈狼〉の呪術者なのだな。若いのに、なかなか腕がいい」

「へえ……」

「〈狼〉の呪術者たちは、何も知らぬ普通の人間が偶然に呪文の一端でも口にしてしまうことがないように、既にこの世にはない言語を選んで己の呪文を編むのだ」

ユーリはときどき足を踏み換え、身体《からだ》の向きを変えては呪文を唱え続けた。東西南北に向いているのかと思ったら、一方向多い。五方向だ。

一周してもとの向きに戻ると、両手を顔の脇《わき》に挙げて短くかけ声のような声を出した。と、お茶筒ビルの屋上に、白い光の線画が浮かび上がってきた。

――五芒星《ごぼうせい》だ。

蛍の光のような白く淡い輝きを放っている。

輝きはだんだんと強くなる。ユーリは五芒星の中央に立ち、オーケストラの指揮者のように大きく両手を振り上げる。彼女の手の動きに導かれるように、白い光の輝きはさらに強まり、線の一本一本が太くなり、やがてそれが浮き上がり、五弁の花びらを持つ大きな白い花の立体幻像が立ち現れた。

美しい。孝太郎は見惚《みと》れた。都築もやっと立ち直ったようで、孝太郎の肩につかまりながら、この不可思議な光景に見入っている。

幻の花は、五弁の花びらを閉じたり開いたりしながら、緩やかに上昇を始めた。花びらが動くたびに、そこから清浄な〈気〉が流れ出てくる。孝太郎は確かにそれを感じた。その流れを目でとらえることさえできるような気がした。

怪物じみた猟犬たちの残した異臭も、禍々《まがまが》しい気配も、幻の白い花の生み出す気に洗われ、浄められてゆく。

五弁の白い花が夜空に吸い込まれるように消えてゆくまで、孝太郎はじっと見つめていた。首が痛くなるほどうんと上を向いて、見送った。

「――大げさな呪法だ」

鼻息を吐いて、アッシュが言った。

「いちいち手間がかかり過ぎだ。見世物じゃないんだぞ」

「そうかな？」

ユーリが笑う。戦闘の直後で、ポニーテールが少し乱れている。

「〈狼〉には普通のことでも、普通の人たちにとっては見世物だよ。だったらきれいな方がいいじゃない」

ガラが動き出した。屋上の一角の縁《へり》に近づき、ちょっと身を屈《かが》め、手を伸ばす。そこに何か突き刺さっている。ガラが引っこ抜くと、コンクリートの欠片《かけら》も二、三個一緒に転がり落ちてきた。

長さ一〇センチほどの漆黒の錐《きり》だ。ガラの手甲《てっこう》に仕込まれている飛び道具である。

今さらながら、孝太郎はぞっとした。コンクリートを砕くほどの威力なんだ。オレもおっさんも、ここであれを向けられたことがあった。撃たれなくて、ホントによかった。

「守護戦士でも狙《ねら》いを外すことがあるのね」

ユーリが少しいたずらっぽい口調で言う。

「違う。猟犬を貫いてあそこに突き刺さったんだ」

アッシュは言い、戒めるようにユーリのこめかみをちょっと指で突いた。

「おまえは注意力が足りない。それに、あの犬どもを貫通してなお奴《やつ》らの汚濁に呑《の》み込まれずに残っているのは、守護戦士の武器だからだ。失礼なことを言うな」

「わかりました。すみません」

ユーリはちらりと舌を出し、そこで孝太郎と目が合った。思わず孝太郎が微笑《ほほえ》むと、彼女も笑顔になった。ちょっぴり誇らしげに見えた。

漆黒の針を手に、ガラがユーリに歩み寄る。一瞬、剣呑《けんのん》な成り行きになるかと息を呑んだ孝太郎だが、ガラは錐を差し出しながらこう言った。

「花を見せてもらった礼だ。何かの役に立つこともあるだろう」

ユーリはガラの長身を仰ぎ、姿勢を正して一礼すると、両手でそれを受け取った。

「ありがとうございます」

そしてその錐を咥《くわ》えると、両手を挙げてポニーテールをほどき、髪の乱れを整えて、手早く結び直した。それからポニーテールの房をお団子にして、仕上げに、ガラからもらったばかりの漆黒の錐を突き通した。

「似合う？」と、孝太郎の方を向いてちょっと科《しな》をつくる。「大人っぽく見えるでしょ」

「うん」

アッシュがまたわざとらしく鼻息を吐いてみせたので、

「はいはい、わかった。行きましょう」

言って、孝太郎を一瞥《いちべつ》する。

もう説得の言葉は尽きてしまったようだ。ユーリは首を巡らせ、彼女の傍らに壁のように立ちはだかっているガラの長身を、もう一度仰いだ。

「三島君が手を引きたいと言い出したら、どうぞ聞いてあげてください」

ガラはうなずいた。「そうしよう」

もしかしたらこれは和解なのかも――

「〈狼〉よ、去れ」

やっぱり無理だった。

アッシュが屋上の縁に足を掛ける。ユーリもそうする。振り返って孝太郎に笑いかける彼女は、ただの森崎友理子に戻って、孝太郎は急に胸を締めつけられるような気がした。

この娘《こ》は背負っている。過去を。罪を。喪失を。

「お願いだから」と、少女は言った。「気をつけてね」

二人の〈狼〉は虚空《こくう》に身を躍らせる。たじろいだ都築が「おい、待て無茶だ」と言い、ごにょごにょと黙った。

アッシュとユーリは夜の闇《やみ》に飛び込んで、消えた。

「小僧、本気なのか」

かなり長いこと、二人でぐったりと座り込んで黙っていて、やがて都築が口を切り、そう尋ねた。

「本気で連続切断魔を捕まえようと思ってるのか。そんなことができると思ってるのか」

ガラは二人から離れ、また屋上の縁に立って背中を向けている。その位置だと、視線の先にちょうど西新宿の高層ビル群の夜景が広がっているけれど、ガラがそれを見ているのかどうかはわからない。

「田代慶子は捕まえられたから」

「そんなの、何の根拠にもならん。田代慶子は被害者のごく身近な人間関係の輪の中にいた上に、君とも物理的に近い距離にいた。ほかの事件の場合はそうはいかん」

「でも都築さん、前に言ってたでしょう。ここで言ったんだ、まさに」

寒さに歯の根が合わぬまま、大きな鳥のような怪物が現れるのを待っているときに。

「苫小牧、秋田、三島、戸塚。それぞれの事件の犯人は、それぞれの被害者の身近な人物だって。そういう意味じゃ、山科社長にとっての田代慶子と同じです。同じ手段であぶり出すことができる可能性がある」

「俺の言ったことはそれだけじゃねえぞ。ちゃんと思い出せ。個々の被害者と犯人が知り合いだったようにしか思えないのに、たった一人の犯人の手による連続殺人だとすると、これだけ場所がバラけているのはおかしい、複数犯だと、俺は言ったんだ。この事件は出鱈目《でたらめ》で、妙ちきりんで、つじつまが合わないと」

「オレの言ったことも、ちゃんと思い出してくださいよ。ネットを介せば、たった一人の人間がこれだけバラけた場所に知り合いをつくることはちっとも難しくないって」

夜景の方に顔を向けたまま、ガラが背中で言った。「何千人もいるぞ」

孝太郎は黙っていたが、都築は「あ？」とやや不作法な声をあげた。

「それらの事件に自分が関わった、あるいは関わった者を知っている。そういう言葉を発している者の数だ」

都築は気色ばんだ。「ど、どうしてそんなことがわかるんだ」

ガラは孝太郎を指さした。「彼を通して、彼が務めを果たしている場所にある、大きな言葉の流れを読んだからだ」

大仰な表現だが、孝太郎が働いているクマーのことだ。そう、サーバールームの扉の前で、いきなりガラに呼びかけられて仰天したことがあった。

「もともと、私の読み取る〈言葉〉や〈物語〉は、どこにでもある。おまえたちにとっての空気と同じだ」

そこらじゅうに満ちていて、見ようとしなくても見える。

「ただ、そのサーバーとやらが統《す》べている世界は、ちょうど大河のようなものなのだ」

「だからその流れを読んだ、か」

「でも、それだけじゃ役に立たないんだ」と、孝太郎は都築に言った。「数が多すぎるんだって。ガラの言う〈言葉の大河〉には、連続切断魔だけじゃなく、数多《あまた》の罪の声があるって」

屋上の縁の上でくるりとこちらを向くと、ガラは都築に言った。「より正確に言うならば、ただ数の多寡《たか》のせいばかりではなく、そこでは嘘《うそ》と真実が混在しているので、〈言葉〉だけでは私には見分けがつかないということだ」

「はあ……そうかねえ」

都築は急にくたびれたみたいに、片手でゆっくりとうなじをさすった。

「結局、足で歩いて手がかりを探すしかないって、オレ思ってたんです」

「だから俺にも手伝えってか」

「いけませんか」

都築は返事をせず、なおもうなじをさすっている。

「そのかわり、どんなに小さな手がかりでも、とっかかりさえできれば、あとはガラが――ガラが与えてくれたオレのこの左目があれば、必ず犯人を見つけることができます」

百発百中だ。誤認逮捕の心配はない。

「俺は――」

都築は手をおろし、ひとつため息をついて、ガラを見遣《みや》った。

「おまえさんに、もう少し凄いことを期待していたよ。なんちゅうかこう、千里眼みたいなものを」

ガラは何も言わず、身動きもしない。右肩の上に飛び出している大鎌の刃の光さえ、今は鈍く濁っている。

「都築さん、何を言い出すんですか」

「だがな、言葉の嘘と真実を見分けられねえなんて、俺たち人間以下じゃねえか。言っとくが、俺は取調室で被疑者に騙《だま》されたことは一度もないぞ」

「そんなレベルの話じゃありませんって」

「いや、そうでもない」

ガラが屋上の縁から降りてきた。そうしようと思えば、猫みたいに音もなく動ける。

「ちょ、ちょっと待って、待ってください」

孝太郎は二人のあいだに割って入った。

「ねえガラ、こうしようよ。都築さんにも、オレと同じ力をあげるんだ。左目の力。別に右目でもいいけど。そしたら、どんな込み入った説明をするよりよくわかるよ」

孝太郎にかまわず、ガラは大股《おおまた》で都築に近づいてゆく。今夜はもう、仲間内のトラブルはたくさんだ。仲間内？　その表現は適切じゃないかもしれないけど、まあとにかく喧嘩《けんか》も口論も嫌だ——

「ガラってば、ちょっと」

押しとどめようと手を広げる孝太郎を、ガラは通り抜けた。

存在するが、実在しない。

孝太郎は胸の奥で心臓がジャンプしたのに、都築はちっとも動じていない。ガラは彼を見おろし、いくぶん親しげに語りかけた。

「罪を漁《すなど》る老人よ。おまえの言いたいことはよくわかる。しかし、それは我々の能力の差ではない。価値観の相違の問題だ」

「どういう意味だ？」

「おまえたち人間は、発せられた言葉を、その内容によって嘘と真実に分ける。だが我々〈始源の大鐘楼〉の者にとっては、一度《ひとたび》発せられ、存在する言葉はすべて真実なのだ」

「だって、さっきは、ネットには嘘と真実が混在してるって言ったじゃないか」

「それは、あくまでもおまえたちの目から見た場合の嘘と真実という意味だ。私には全《すべ》てが真実だから、見分けがつかない」

ちょっと混乱する。

「おまえさんたちにとっては、全ての言葉が真実？」と、都築が問う。

「そうだ」

「内容に関係なく？　どんな出鱈目でも？」

「発せられ、存在する以上は」

「それはけっこうだが――」首をひねって、都築は言った。「物騒だな」

ガラは微笑した。「そうだ。恐ろしいことであり、畏怖《いふ》すべきことでもある」

孝太郎にはよくわからない。ただ、あの蕎麦《そば》懐石の店で聞いた山科社長の言葉が、不意に脳裏に蘇《よみがえ》ってきた。

「社長は言ってた。言葉は蓄積するって」

――書き込んだ言葉は、どんな些細《ささい》な片言隻句《へんげんせっく》でさえ、発信されると同時に、その人の内部にも残る。

――溜《た》まり、積もったその言葉の重みは、いつかその発信者自身を変えてゆく。

「なるほど。それは、ひとつの理解の方法として正しい」と、ガラは言った。

山科鮎子は、言葉という精霊《すだま》が生まれ出《いず》る場所から来た存在に通じる思索を持っていた。

「田代慶子の渇望を刈り取ったとき」

ガラは言って、孝太郎の顔を見た。

「おまえは私の本来の姿を見た。怪物だと思ったろう」

「え？　だってそれは、ほら」

「かまわん。私の目には、おまえたちの方が異形に見える。そのうえ、おまえたちの社会には、おまえたち自身のなかから生まれ出てきた、私以上の怪物が満ち溢《あふ》れているぞ」

言葉の怪物だ、という。

「悪意の、欲望の、嫉妬の言葉が蓄積し、怪物と化している。それもまた無数にいるぞ。そこらじゅうにいる」

実在はしないが、存在している。幽霊のように。怨霊《おんりょう》のように。

「オレの左目なら、見える？」

「だいぶ馴染んできたようだからな。だが、めったに見てはいけない」

「どうして」

「誰のことも信じられなくなってしまうだろうから」

パンパンと、出し抜けに都築が手を打ち鳴らした。「評定《ひょうじょう》は終わりだ、小僧」

諦《あきら》めたような、腹をくったような顔で、腰を上げながら言った。

「とりかかるぞ」

（下巻につづく）

宮部みゆき著

淋しい狩人

東京下町にある古書店、田辺書店を舞台に繰り広げられる様々な事件。店主のイワさんと孫の稔が謎を解いていく。連作短編集。

宮部みゆき著

火車

山本周五郎賞受賞

休職中の刑事、本間は遠縁の男性に頼まれ、失踪した婚約者の行方を捜すことに。だが女性の意外な正体が次第に明らかとなり……。

宮部みゆき著

幻色江戸ごよみ

江戸の市井を生きる人びとの哀歓と、巷の怪異を四季の移り変わりと共にたどる。〝時代小説作家〟宮部みゆきが新境地を開いた12編。

宮部みゆき著

初ものがたり

鰹、白魚、柿、桜……。江戸の四季を彩る「初もの」がらみの謎また謎。さあ事件だ、われらが茂七親分――。連作時代ミステリー。

宮部みゆき著

平成お徒歩《かち》日記

あるときは、赤穂浪士のたどった道。またあるときは箱根越え、お伊勢参りに引廻し、島流し。さあ、ミヤベと一緒にお江戸を歩こう！

宮部みゆき著

堪忍箱

蓋を開けると災いが降りかかるという箱に、心ざわめかせ、呑み込まれていく人々――。人生の苦さ、切なさが沁みる時代小説八篇。

悲《ひ》嘆《たん》の門《もん》（中）

新潮文庫　み－22－33

平成二十九年十二月一日発行

著者　宮《みや》部《べ》みゆき

発行者　佐藤隆信

発行所　株式会社 新潮社

郵便番号　一六二―八七一一
東京都新宿区矢来町七一
電話　編集部（〇三）三二六六―五四四〇
　　　読者係（〇三）三二六六―五一一一
http://www.shinchosha.co.jp

価格はカバーに表示してあります。

乱丁・落丁本は、ご面倒ですが小社読者係宛ご送付ください。送料小社負担にてお取替えいたします。

印刷・錦明印刷株式会社　製本・錦明印刷株式会社

ISBN978-4-10-136943-3 C0193